코로나 19와 함께한 아침 묵상집 1

어디에나 길은 있다

훈진 이용곤 목사 지음

이용곤 목사 약력

1960년 전남 강진 출생
서울공덕초등학교
서울동도중학교
고검·대검 검정고시
안양대 신학과
안양대 신학대학원
(미) 그레이스 신학대학원
금천생명수교회 담임목사

코로나 19와 함께한 아침 묵상집 1

어디에나 길은 있다

훈진 이용곤 목사 지음

진달래 출판사

어디에나 길은 있다

인　쇄 : 2021년 9월 23일 초판 1쇄
발　행 : 2021년 9월 30일 초판 1쇄
지은이 : 이용곤
펴낸이 : 오태영
표지디자인 : 노혜지
출판사 : 진달래
신고 번호 : 제25100-2020-000085호
신고 일자 : 2020.10.29
주　소 : 서울시 구로구 부일로 985, 101호
전　화 : 02-2688-1561
팩　스 : 0504-200-1561
이메일 : 5morning@naver.com
인쇄소 : TECH D & P(마포구)

값 : 12,000원
ISBN : 979-11-91643-16-9(03230)

목 차

들어가는 말

살다가 만나는 막힘 앞에서
어디에나 길은 있다
다만 뚫느냐 뚫지 않느냐만 있을 뿐이라는
생각으로 여기까지 온 거 같다

살면서 살아오면서
만나게 되는 수많은 사람과 상황들 속에서
그분을 만나고
그분 안에서 그분의 지켜주심으로 인하여
울고 웃으며 지나온 시간을 아침묵상을 통해
적어보았다

그 작은 글들을 모아보았다.
부족함이 묻어나 보인다

그런 한쪽에 진솔한 삶의 향기가
뿜어져 나온다

그것이 삶이고 인생이다
그분과의 동행이기에
즐거운 일이 아닌가 싶어

자그마한 마음 하나를
나누고 싶어 엮어 보기로 했다.

이 일을 할 수 있도록
지금까지 옆에서 죽을 둥 살 둥 살아온
집사람 **장선희 씨**와 언제나 사랑스러운 **딸 이나눔**,
늘 잔잔한 힘을 주고 있는 **아들 이주강**에게
감사를 전하고 싶다
부족한 졸필을 엮고 가꾸고 꾸미어준
진달래출판사의 작가 오태영 대표님께도
감사한 마음을 전합니다.

모든 영광을 하나님께 돌립니다.

2021. 9. 21 중추가절에

훈진 이용곤 목사 드림

자작곡 주의 크신 사랑

Part 1

코로나 19 아침 묵상

목회 이야기

분별력이 필요한 때

예전에 심방 대원들과 함께 심방을 가는 길에 있었던 일이다.

점심시간이 가까이 되었기에 어디 가서 식사하고 가자는 말에 모두 공감하고 근처에 식당을 찾아 차를 움직이고 있었다.

조금 지나자 한 간판이 눈에 들어왔다. 정식이라는 말이 눈에 들어오고 '아 한식 정식이니 속도 편하겠구나.' 생각하고 모두 차에서 내려 들어갔다.

겉엔 간판 하나 걸려있는 것 같았는데 안에 들어서니 궁전처럼 꾸며져 있었다.

뭔가 잘못 들어온 느낌이 오기 시작했다.

아니나 다를까? 고급복장에 큰 메뉴판을 들고 다가온 직원이

펼쳐놓은 곳에는 1인 4만 원부터 시작되어 6만 8만 10만이라는 메뉴가 한 장 가득 적혀있었다.

정신을 차리고 맨 위를 보니 '한정식 메뉴'라 쓰여있다.

고급 한정식에 잘못 들어온 것이다.

잘못 들어 온 것 같다고 말하고 얼른 챙겨 나가자고 말했다.

한 집사님께서 지혜를 내서 한식 한다고 한정식에 잘못 왔다고 하고 4만 원짜리 두 상만 차려줄 수

있느냐고 제안해 보자고 하였다.

마침 손님들이라곤 우리밖에 없었기에 용기 내어 물어보았다.

좀 곤란한 듯하더니 그냥 그렇게 해주겠다고 하였다.

고급 한정식을 어떻게 나눠 먹었는지도 모르게 먹고 나왔다.

문밖에 나와서 맘껏 웃었다.

다음부터 간판 잘 보고 들어가야겠다.

얼핏 보면 매우 비슷한 것들이 많은 시대이다.

무엇보다 분별력이 필요한 때 같다.

오래된 시계

우리 집 화장실에 걸려있는 시계가 오늘도 째깍째
깍 잘도 돌아가고 있다.
큰어머니 고희 때 받은 사은품인데 1994년이라고
쓰여 있는 걸 보니 26년이 훌쩍 지난 것이리라.
세월보다 빠른 것이 어디 또 있으랴….
주어진 시간을 오늘도 충실히 살아야겠다.
오늘도 선물로 받은 하루하루가 주님 안에서 복되
고 멋진 날들이 되었으면 좋겠다.
코로나 19로 어지러운 세상에서 주님과 온전한 동
행으로 주어진 사명 잘 감당하며 나아가야겠다.

시궁산을 다녀와서

목회자의 운동 중에 등산만한 것이 없다.

발품을 팔아 그저 오르기만 하면 된다.

이것저것 복잡한 세상에서 산에 오르며 주님과 더 깊은 대화를 할 수도 있다.

강대상에서의 기도 보다 어떨 땐 더욱 소중한 음성들을 들을 수도 있다.

주님이 보여 주시고 들려주시는 이야기가 자연에는 보석처럼 숨겨져 있다.

어릴 적 보물찾기하듯 바라보는 시선 하나하나가 그렇고….

들려오는 소리 하나하나가 그렇다.

시궁산이라 거 이름도 희한한 이름이네? 시궁창이 연상되는 별로인 이름이네 하고 무심코 올랐다.

정상에 큰 돌로 시궁산이라 음각된 곳에서 멋진 자세로 한 컷을 만들어 보고, 그 돌의 뒤를 보니 한문으로 이렇게 음각된 글씨가 힘찬 휘호처럼 다가왔다.

그것은 "時宮" 이었다.

시간을 잉태한다는 뜻이란다.

산에 미안했다.

그런 놀라운 이름을 가진 산.

시궁산인데…….

무시했으니 말이다.

나와 우리, 세상에선 어떤 수모를 당할지라도

나와 우리, 너는 내 아들이고 나는 너의 아버지라는 내가 붙여본 "=의 신앙"을 다시 한번 깨닫고 내려오는 길은 발목까지 차오른 낙엽들을 헤치며 나아가는 시선들과 소리를 들으며 시간을 잉태하는 산에서 내려왔다.

오늘 우리의 삶의 시간을 잉태하며 살 것인지 흘려보내며 살지는

이 세상에서의 나의 결정에 달려있었다.

연분홍 진달래 한 다발

따스한 봄날 호암산에 올랐다.
자기가 있어야 할 자리에서 진달래는 어김없이 또
다시 피어났다.
이맘때면 진달래꽃 한 다발이 스쳐 지나간다.
일신여상 다니던 단발머리 소녀가 번동의 한 야산
에서 꺾어왔다며
건네주던 진달래 꽃다발이 아니던가!
멀리 나가지도 못하고 타자학원이라는 공간에 거의
갇혀 살다시피 하던 때에 건네받았던 진달래 꽃다
발에 온 세상이 연분홍빛으로 물들었던 그 날
하얀 교복을 바탕화면 삼아 연분홍빛 꽃다발의 자
리 잡음은 예쁜 마음 한가운데였으리라.
2020년 코로나 19로 많은 부분이 막혀있는 시기에
번동의 진달래가 호암산의 진달래로 교차하여 다가
왔다가 잔잔히 흘러 지나간다.
멀리 떠나버리기 전에 그저 몇 자라도 남겨 놓고
싶은 마음도 연분홍으로 곱게 물들어 간다.

"생명수 정원"에 새 식구 인사

그것도 셋이나 한꺼번에 들어왔는데, 구청소개로 최신형 스마트 화분으로 무장한 적상추, 청상추라고 했다.

인사를 받는 이들은,

단양의 목사님. 사모님 소개로 들어온 하얀 꽃을 제일 먼저 피워 올리며 모진 겨울도 다 이겨내며 바위틈에서도 자라는 이들이며,

황 아무개 집사님의 소개로 들어온 가시 많고 멀리서 온 선인장들이며 산 아래 공기 좋은 곳에 사시는 권 집사님 소개로 들어온 스티로폼으로 따뜻하게 감싸진 취나물. 방풍나물들이며,

교회 살림 이것저것 챙겨주시던 여전도사님 소개로 들어온 가시 성성한 장미 줄기와 언제나 그윽한 향기를 뿜어내는 라일락 두 친구며,

어느 해 이른 봄, 이 목사님이 가지 꺾어 심은 친구가 해마다 빨간 꽃을 환하게 웃음 지며 피어나는 명자라는 친구이며,

강대상 바로 밑에서 성도님들과 오랜 시간 함께하다 은퇴 후 제2 사역으로 온 멋진 화분을 자랑하는 친구들이며,

귀한 동역자인 김 아무개 권사님의 소개로 들어와 교회식사 준비하다 요긴하게 쓰이는 파라는 친구들

이며. 강대상의 행복 트리와 십자가 밑에서 온몸으로 떠받고 있는 세 줄기 꽃이며,

아직 쌀쌀하던 어느 날 고려산에 올랐을 때 진달래를 열심히 심고 계시는 분들로부터 전해 받게 된 진달래 오 형제라는 친구들이며,

호암산에서 오가는 등산객들에게 희망을 주고파 심고 계시는 마을 분에게서 얻은 비비추 몇 송이가 그 파릇한 잎을 언제나 선사하는 친구이며,

아무 인기척도 없이 죽은 듯한데 어디선가 그 아름다운 자태를 어김없이 보여 주는 채송화가 왜 나를 쏙 빼놓냐고 엷은 미소 짓는 친구이며,

강대상 아래서 오랜 시간 행복한 시간을 누리다 거의 다 죽게 되어 복도에 내놓은 행복 트리가 어느 날 완전히 되살아나 이전 보다 더욱 싱싱하게 잘살고 있는 친구이며,

교회에 여러 가지 살림살이들을 장만해 주신 임 아무개 집사님께서 교회 들어오는데 필요한 꽃이며 햇빛 없어도 잘 산다며 소개한 푸릇푸릇한 친구이며,

현대시장에 들어선 꽃차에서 소개받은 여러 잎을 갖고 해를 향하여 고개. 허리 다 숙인 친구이며,

본당 창가에 숨어있다가 창문 열면 수줍은 듯 나타나는 플라타너스 넓은 잎을 청정하게 보여 주는 친구며,

얼마 전 새로 들어와 피아노 위에 자리 잡은 말린 꽃으로 몇 년은 간다는 예쁜 꽃다발이 주인을 잃고 헤매다가 안정을 되찾은 친구이며,

광명 꽃시장 행복한 나무집과 다육이 천국 집에서 시집온 친구들이 여기저기 자리 잡고 앉은 친구들이다.

모두가 생명수 정원의 한 자리에서 저마다의 이야기꽃을 피워내고 있다.

언제나 그러하듯이……

저렴한데 행복한 것들과 함께

몇 해 전인가 잘 아는 목사님과 함께
양평 용문역 앞에 있는 한 식당에서 점심을 먹고
커피숍에 들렀다.
커피값이 밥값과 비슷했다.
그리고 난 아직도 원두커피보다 믹스커피가 좋다.
주인장에게 전 아메리카노보다 믹스가 나은데 어떻
게 하죠?라고 하니 그 옆에 은행에서 뽑아서 여기
서 드셔도 된다고 했다.
그 옆에 농협에 가니 200원 자판기커피가 눈에 들
어왔다.
넉넉하신 커피숍 주인의 넉넉한 마음과 양평의 아
득함에 아메리카노와 믹스향이 더해져 고운 향기로
다가왔다.
교회 앞에 식당 하나가 있다.
아들 이름을 딴 식당이다
여러 가지 반찬과 국과 양푼에 넉넉하게 주는 구수
한 숭늉까지 먹고도 5천원이다.
자장면은 실내에서 먹으면 3500원에 길게 뽑은 검
은 면을 배불리 먹을 수 있다.
이발은 어릴 적 이발학원에서 머릴 자주 잘랐다.
어른 의자 위에 나무판을 덧대어 올려놓은 곳에 앉
아 있으면 여기도 저기도 자라보는 사람들을 힐끔

힐끔 쳐다보는 기쁨이 있는 이발학원에서 정말 공짜로 때론 저렴하게 자르곤 했다.

요즘도 동네 미용실 원장님이 운영하시는 전용미용실에만 간다. 가격은 6천원 기술은 20명 직원 두고 운영했던 원장님의 솜씨와 정성 가득한 맘까지, 나아가 오는 손님마다 작지만, 행복한 교회가 있다며 줄기차게 소개해주시는 전도하시는 미용실이니 얼마나 좋은가!

청계8가 삼일아파트가 옛 주거지여서 정이 깊이 들었는지, 헌책방에 4곳을 지금도 5천 원 정도만 들고 나가면 푸짐하게 장만(?)하고 돌아올 수 있다.

강대상은 역시 목조가 좋다.

요즘 크리스털로 멋진 것도 많지만 아랫부분을 완전히 가려주는 나무 향내 나는 강대상,

기도 많이 하시고 사용하시던 손때 묻은 강대상이 아주 좋다.

컴퓨터. 노트북이 아무리 발달해도 설교원고는 A4용지 8장으로 써 내려가는 맛을 좇아가지 못한다.

한 장 한 장 넘기며 보는 설교원고에 이면지 8장은 무엇보다 소중하다.

한 면 깨끗한 용지를 끝까지 붙잡고 있다 기어이 양쪽 다 써서 신문지와 함께 폐지로 할머니께 드리는 소소한 행복도 있다.

고급침대에서 살아 본 적은 없다.

온돌의 따뜻한 방에 허리를 지지는 진짜 행복을 빼앗길 수 없어서 일게다.

강대상 위에 방석. 기도 의자. 돋보기 하나. 히브리. 헬라 원전 성경…. 그리고 작은 기타…. 이보다 더 좋은 것은 없는 듯하다.

목회는 성공도 실패도 없다

얼마나 의지하느냐의 사역만 있을 뿐이다.

늘사랑교회로 지역에 자리를 잡아가고 있을 때였다.

당시에 유천사(가명)라는 아름답게 사역을 잘하는 어여쁜 청년이 있었다.

가느다랗고 우윳빛 나는 손으로 주님을 향한 손 율동으로 찬양하는 모습은 영원히 잊히지 않는 모습이다.

내년에 결혼을 앞두고 삶과 신앙에 성실히 살아가던 청년을 주님께서 너무 사랑하셨는지 데려가셨다.

가장 아름답게 쓰임 받을 때 주님께서 데려갔다는 확신이 들 때까지의 인간적. 목회자적 고뇌로 함께 힘들어하는 시간을 적잖이 가졌었다.

또 한 자매가 있었는데 온누리교회에 다니는 자매로 내가 전도사시절 설립한 광야나눔선교회 사역을 처음부터 함께 동역하던 원천사(가명)라는 예쁜 자매가 있다.

작은 휠체어를 타고 주로 어머니의 등에 업혀 이동하는데 불문학과를 졸업하고 신앙이 이토록 맑고 깨끗한 영혼을 만나보지 못할 정도로 순수한 자매였다.

그 자매도 주님께서 너무나 사랑하셨는지 일찍 데려가셨다.

그렇게 아름답게 사역했는데….

또 한 자매는 기둥같이 쓰임 받던 부부 집사님의 순수한 따님이었다.

교회학교 교사와의 교제설로 가장 안 좋은 결말로 두 가정 모두가 교회에 안 나오게 되는 일이 발생하고 말았다.

새로운 전환점을 맞아 교회도 신곡 시장 맞은편 버스종점 뒤편 길의 반듯한 2층으로 옮겼다.

햇빛 드는 작은 목양실과 주방도 따로 있는 멋진 곳에 자리 잡았다.

단독목회 7년 하면서 한계에 다다랐다.

원래부터 있었던 교인들과 새로이 들어온 교인들과의 융화가 잘 안 되었다. 지도력의 부족함이 여실히 드러났고 몇몇 성도들이 경쟁적으로 다가오기도 했다.

가정적으로 불화가 쌓여가는 시기에 놓였고 작은 불씨들이 점점 커져만 갔다.

계속 그 자리에 멈춰있는데 목회만 하는 나 자신을 발견하게 되었다.

아무리 손을 휘저어도 물결만 가를 뿐 앞으로 나아가지 않는 모습 그 자체였다.

모든 것이 주님을 의지하는 모습이 얼마나 되느냐가 중요한 것을 그때 깨달았지만, 너무 늦은 시점이 되고 말았다.

교회를 사임하게 되고 끝없는 수렁으로 빠져들어
가고 있었다.

당시 호산나라는 인터넷 카페와 검색이 있었는데
그곳을 살피다

우연히 양평에 시골집이 하나 있는데 1년 도지세
(쌀 한 가마니 값)만 내면서 집을 고치면서 살 사
람을 구하는 것을 보고 한걸음에 달려가 지푸라기
라도 잡고 싶은 심정으로 책들과 최소한의 필수 도
구만을 겨우 옮겨 놓을 수가 있었다.

쉽게 죽으라는 법은 없나 보다.

마을 사람들이 부르는 월파라는 곳으로 하나의 작
은 길은 열어 놓으신 그분의 손길이었다.

목회에 있어서 성공과 실패는 없다. 다만 목회자가
얼마나 하나님을 의지하느냐만 있을 뿐임을 절실히
깨달으면서……

목회의 시작이 어떠했느냐의 중요성

강도사로서 대방동에서 화곡동 목천교회로 사역지를 옮기며 목회사역을 준비하고 있을 때 노회에서 연락이 왔다.

한 교회가 있는데 목사님이 돌아가시고 다른 분이 오셨는데 갑자기 큰 교회로 가게 되었고 다시 후임을 모시게 되는 과정에

그만두는 사정이 생긴 교회라고 했다.

당시 나는 아직 준비도 덜된 강도사였는데 노회에서는 다른 목사님들이 들어오려고 애를 쓰는데 왜 안 가냐고 하였다.

노회에서 선교사로 파송해도 가야 한다며 일단 한번 가보라고 했다.

목회준비를 위해 조용한 사역지로 옮기고 기도로 준비하던 차이기에 부르심의 한 부분도 있겠다는 생각이 들어 순종하는 마음으로 따르기로 했다.

신월동 팔도강산 사거리로 알려진 곳의 3층 건물에 50평 정도의 예배당에서 첫날 주일설교를 마치고 교인들과 인사를 하는데 20여 분 남은 성도들과 청년들이 오늘 예배를 끝으로 우리는 떠난다는 식으로 미끄러지는 악수로 손이 빠져나가듯 마음들이 모두 빠져나가고 있었다.

일단 남은 분들과 대화를 해 보았다.

보증금 일천만 원에 월세 80만 원인데 월세가 5개월 정도 밀린 상태이고 옥상의 쓰레기 더미가 많았는데 치우는 값만 50만 원 정도 들어가야 하는 상황이고 그나마 남아 있는 교인들은 목사님 돌아가시고 후임과 후임으로 갈리면서 상처투성이로 얼룩진 상태였고 직전 후임 분에게 악기구매와 들어오려고 낸 돈 일천만 원을 줘야 하는 상황이라 하였다.

나는 돈이 없었고 또 돈 내고 들어갈 생각도 없었다. 그렇지만 성도들의 마음은 갈기갈기 찢긴 모습으로 지나칠 수도 없었다.

제직회를 열어서 일단 수습 방안을 찾아보자고 제안했다.

나는 돈이 없지만, 대출을 받아 급한 천만 원을 마련하고 모두 힘을 합쳐 한 달 한 달 갚아 나가면서 다시 한번 일어나자고 격려하면서 지하라도 교회를 이전하고 교회명도 바꾸어 완전히 나와 새로 시작하는 것으로 하자 하여 늘사랑교회가 시작된 것이다.

서서히 성도들과 청년들의 마음이 한둘씩 돌아오고 있었다.

교회 옥상의 쓰레기도 다 치워주고 교회도 신월6동 주택가 지하로 옮기고 늘사랑교회라고 세로 간판을 달고 모두가 한마음으로 움직였다.

식었던 열정들이 다시 살아나기 시작했다.

목사안수를 교회에서 단독으로 받고 더욱 안정된

사역으로 나아갈 수 있게 되었다.

목요찬양 집회를 다시 열 수 있을 정도가 되었고 교사들도 확보되고 주일학교도 많은 어린이로 가득 차게 되었다.

비록 지하였으나 생명의 말씀과 기도와 찬양 그리고 전도가 힘이 넘쳐났다.

나 주님의 기쁨 되기 원하네라는 복음 송을 10번을 불러도 따라 하는 청년과 주일학교 학생들의 부흥 집회는 주님의 은혜로 가득 찼었다.

이 모두가 처음에 모든 것을 원점으로 하고 어떤 사심이나 물질이나 야욕이 아닌 순수한 출발 이 무엇보다 중요한 것임을 일깨워 주시는 그분의 은혜였다.

사역에 돕게 하시는 그 분의 손길을 느끼며

교회의 성도들은 너무나도 교회를 잘 섬기며 헌신한다.

그리고 외부의 손길을 통해서도 교회는 큰 동력을 얻는다.

생명수교회가 해법 영어교실로 시작하여 3년이 되어갈 때 가까운 곳으로 이전하게 되었다.

장년 성도 한 분으로 청소년들과 함께하던 상황이었는데 영어를 배우시던 멀리 있는 다른 교회 집사님들이 힘을 합치며 동역해 주었다.

교회 장의자를 사주시고 간판을 새로 제작하여 달아주시고 교회 비품을 하나씩 나눠 감당해 주시니 너무나 감사하게도 이전할 수 있었다.

이전한 교회의 건물은 장로님께서 주인이었다.

처음에는 얼마나 깐깐하신지 교회 임대계약하고 왔다 갔다 하면서 나온 전기세 3,850원을 내라는 전화가 올 정도였다.

하지만 시간이 지나면서 교회에 호의적으로 바뀌게 되어, 할 수만 있으면 교회를 돕겠다고 하였다.

장로를 은퇴하시고 작은 교회에 색소폰 연주로 섬기신다 하여 우리 교회에도 오셔서 연주도 해 주시기도 했다.

그러시다가 갑자기 지병이 악화되자 아들을 교회로

보내 계약서를 다시 작성해 주겠다고 했다.

지금(당시 2016년)부터 10년으로 다시 써주시면서 건물주가 바뀌더라도 이 계약은 유효하다는 단서를 달아 서명을 해주신 것이다.

교회는 임대료 인상 없이 10년을 지낼 수 있게 된 것이다.

그렇게 교회에 큰 힘이 되어주시고 장로님은 주님 나라로 가셨고 얼마 되지 않아 건물도 새 주인에게 넘어갔지만, 그 계약이 유효하여 기간을 보장받으며 계약을 이어갈 수 있게 된 것이다.

교회엔 함께 협력하여 목회할 수 있는 김 여전도사님, 백 목사님, 김 목사님, 박 남 전도사님, 박 목사님, 김 목사님, 김 사모님 등등의 끊임없는 동역자들이 주님의 감동해 주심에 따라 이름도 없이 빛도 없이 섬겨주셨고 섬겨주시는 것이었다.

모 교회인 망원제일교회의 꾸준한 지원과 경기도의 모 목사님의 1년간 지원이 큰 힘이 되었다.

중학교 선생님으로 세종시에서 사시는 집사님은 늘 기도해주며 주님 사랑이란 이름으로 필요한 시기에 딱 맞춰 지원이 이어지고 있다.

그 선생님의 꿈이 개척교회 목사님이나 선교사님이 은퇴 후 마땅히 기거할 곳이 마땅치 못하시는 분들을 위한 장소를 운영하는 것이라며 기도하며 나아가는 모습에 큰 감동하지 않을 수 없다.

모두 기도하시는 중에 그분의 감동으로 내밀어 주신 손길들이다.

주님의 사역은 시작하면 된다.

주님의 사역은 주님이 하신다.

주님의 사역은 주님이 책임져 주신다.

모든 영광을 하나님께 올려드립니다.

목회자와 스포츠이야기 1

목회자의 운동하면 당연 1위가 축구일 것이다. 지역별 목회자 축구선교회가 있을 정도로 활성화 되어 있다.

여기서 중요한 것은 다치지 않고 목회에 지장을 주지 않는 선에서 목회자의 건강관리에 필요한 만큼의 활동이 중요한 것 같다.

경쟁적으로 핏대를 올리며 할 것까진 없다. 목회적 협력과 건강을 위해 1주일에 한 번 정도가 좋을 듯하다.

요즘은 토요일에 하는데 찾기가 어려운데 금천구청 직원들과 함께 운동할 수 있어서 감사하고 예의들이 좋아서 더욱 좋은 것 같다.

운동에서 스트레스받아 가면서까지 하는 것은 오히려 독이 된다.

나는 물에 빠져 죽을 뻔한 게 3번이나 되었는데, 초등학교 5학년 때 제주도 삼양해수욕장에서의 튜브 뒤집힐 때와 청소년 때 일산의 한 계곡에서 물에 빠져 2번 오르다 내리다 마지막 내려가는 찰나에 누군가 던져 준 비료 봉지를 잡고 나온 것과 교회 청년들과 함께 강릉 경포대 해수욕장에서 동해로 계속 흘러가다 구조되어 살아나온 것이 그 세번이다.

이런 경우에 다시는 물에 안 들어가고 물 근처에는 얼씬도 하지 않는 것과 오히려 물을 극복하고 적극적으로 해결하는 능력을 갖추는 방향으로 가는 예도 있을 것이다.

나는 후자를 선택했다.

수영을 처음부터 즉 음파(물속호흡 소리)부터 배우기 시작하여 자유형. 배영. 평영. 접영 등을 배우고 내친김에 스킨수영으로 구조사까지 따고 더욱 정진하여 SSI에서 공인하는 오픈 워터 다이버가 되었다. 어떤 어려움에 봉착하여 좌절하고 포기해 버리면 아무것도 할 수 없다.

목회도 처음부터 다시 시작하여 벌써 13년이 흘러가고 있다.

안되면 되게하라가 아니라 안 되면 어디서부터 잘못되었는지 그 출발지를 다시 응답으로 받는 게 중요하다.

체력도 8체질로 자신의 몸을 알고 식사를 조절하고 적당한 운동을 통하여 목회자의 건강에 힘쓰며 장기 레이스에서의 완주와 아름다운 마무리를 향하여 오늘도 진실과 성실만이 살길임을 기억하며 주님 주시는 힘의 분량만큼 감사하며 살아야 하겠다.

목회자와 스포츠 이야기 2

목회자의 건강을 위한 스포츠는 여러 가지가 있다. 그중에 간단한 장비와 차비 그리고 입장료 정도만 챙기면 할 수 있는 것이 바로 등산이다.

가까운 동산이나 둘레길 에서부터 높은 산까지 있으니 자기의 상황과 몸 상태에 맞춰 오르면 된다.

오르면서 모든 것을 잊고 나아갈 수 있고 중간에 만나는 자연들과 만남 그리고 정상에서의 상쾌함으로 등산의 매력에 빠져들 수밖에 없다.

부부와 가족과 목회자들과 함께하는 등정은 더욱 빛나는 산 오름이다.

산은 언제나 정직해서 좋다

내가 오르는 시점의 모습을 여과 없이 그대로 보여주며 말을 건내 오기 때문일 것이다.

큰 나무의 뿌리가 디딤돌 역할로 기꺼이 그 역할을 감당하면서 오르내리는 길을 잡아주고 있다.

오르내리며 만나는 사람들은 이 산에서 만난 동료들이어서 좋다.

잠깐 스쳐 가는 인연이라도 말을 걸 수 있고 짧아도 가끔 깊은 얘기도 나누기도 때론 고민하던 문제도 해결해주는 키가 되기도 한다.

등산에서 많은 길을 만난다.

돌아가도 만나는 길이 많고, 잘못 들어서면 이정표

와 나무에 걸려있는 누군가의 안내 표식이 바른길로 인도해 주기도 한다.

시간이 많으면 멀고 높은 산으로

시간이 없으면 가깝고 낮은 산으로 가면 된다.

삶은 달걀과 컵라면과 모밥과 김치 볶음이 주로 먹는 등산용 메뉴이다.

시래기 된장국은 언제나 편안한 속을 만들어 준다.

월요일 등산이 많아 어떤 산은

통째로 전세 낸듯한 산을 만나기도 한다.

등정은 목회와 많이 닮았다.

끈기와 인내로 한 발 한 발 올라야 하며 가다가 쉬어 가기도 하고 정상을 찍어야만 등정은 아니다.

가는 데까지 가고 해 떨어지는 시간 전엔 내려와야 한다.

치악산에 오르려 할 때 시작도 하기 전에 내려올 시간 고려하여 못 올라가게 막혀있어 근처 폭포만 보고 온 적도 있다.

그래도 치악산도 다녀온 산 중의 하나인 것이다.

잘못 오르내리면 무릎도 나갈 수 있고 삐끗할 때도 있고 깊은 산에서 해지는 시간이 내 생각보다 짧아져서 길을 잃기도 하다가 작은 불빛이라도 만나면 얼마나 반가운지 모른다.

상계동, 방학동, 모래내, 진관외동 살면서 북한산 수십 곳의 오르는 길을 만날 수 있었고 금천구에 살면서 관악산 줄기의 삼성산, 국기봉, 비봉산, 호암산은 친구 같은 산이 되어있기도 한다.

내가 태어난 고향에 있는 월출산과 처가가 있는 지리산은 뱀사골과 노고단이 겨우 다다른 곳에 불과하다.

언젠가는 종주할 날이 있으리라는 희망을 남겨 놓은 것 또한 산이 주는 기쁨이리라.

맑은 물과 청량한 청계산과 월악산은 언제나 넉넉하며 어머니 품과 같은 소백산의 청량한 바람은 생각만 해도 시원하고 강천산의 출렁 다니는 온 가족을 멀리서 바라볼 수 있는 희열을 주기도 한다.

간단한 장비와 자기에게 알맞은 산에 올라 목회자의 건강을 챙기며, 행복한 목회, 건강한 목회, 희망의 목회로 만나는 우리가 되었으면 한다.

목회자와 스포츠 이야기 3

우리 시대 어릴 적은 이소룡의 영화 4편 중 한 편 이상은 보면서 자라났다.

정무문으로 시작하여 영화를 보면서 무술을 막연히 동경하여 쌍절곤을 돌리기도 하였고, 태권도는 기본으로 하고, 쿵후도 조금씩은 배워 보기도 했다.

어느 날부터인가 봉에 대해서 호신술과 혼자 할 수 있는 운동으로 목회자에게 이보다 좋은 운동은 없겠다는 막연한 생각을 하고 있었는데, 낙원상가에 마이크 사러 갔다가 우연히 벽면에 붙은 한 글자가 눈에 들어왔다.

그것은 다름 아닌 '봉술 배우고 싶은 사람'을 구한다는 글이었다.

두말하지 않고 전화를 돌렸다.

도장은 영등포에 있으며, 관장님은 무극권법과 봉술의 9단의 무술가였고, 대한봉술협회 총재였다.

봉술은 두 쪽이 똑같은 굵기의 봉을 가지고 하는 것이며, 곤술은 한쪽은 두껍고 한쪽은 얇은 모양의 차이가 나는 것을 가지고 하는 것을 말한다.

한국봉술에는 돌리는 기술이 거의 없다.

전굴자세로 방어법을 익힌 후 상타,중타,하타 등 공격술을 배우는 호신술과도 같은 연마술을 가지고 있었다.

중국봉술과 중국 곤술은 주로 화려한 회전술과 때론 땅을 치기도 하는 큰 동작과 화려한 몸놀림으로 발전했다고 볼 수 있다.

거기와 비교하면 한국봉술은 실전에서 자신을 보호하며, 몇 명의 적들을 물리칠 수 있는 실전용 무술인 것이다.

처음 입문하여서 봉을 잡지도 못했다.

3개월간은 무극권법이라는 맨손과 맨주먹으로 자기 방어술을 익히며 자기 몸을 먼저 만드는 무술을 연마한 후에 비로소 봉을 잡게 되는 것이다.

봉의 회전축을 이용한 공격술로 인하여 상대방에게 치명적인 상처는 주지 않으면서 자신을 보호하고 빠져나오고 잠깐 기절만 시키지 절대 상처를 입히거나 크게 다치게 해서는 안 된다는 게 한국봉술의 특징이었다.

1년을 자세와 봉술을 익히고 1단이 되었다. 회전술은 어디에도 나오지 않았다.

무던한 인내를 요구하는 무술이 바로 봉술이었던 것이다.

예전에 배운 봉술이고 어느 정도 다 까먹고 자세도 안 나오는 요즈음 다시 봉을 잡았다. 아니 지금은 봉체조요, 봉회전술을 배우고 있다고 해도 과언이 아니다. 왜냐하면, 건강을 위해 다시 하는 봉술이기 때문이다.

테니스나 탁구를 하려면 상대방이 필요하여 같이 움직여 운동해야 하지만 봉술은 혼자서도 얼마든지 운동할 수 있으며, 특히 봉체조를 통하여 목회자의 건강을 유지하는 데 큰 유익을 줄 수 있을 것이다. 그리고 요즘 봉술에 관심 있는 분들이 한둘씩 생겨나는 것 같기도 하다.

봉체조를 통하여 노인회관 등지에서 활용하면 많은 유익을 줄 수 있는

좋은 프로그램이 될 수 있기 때문일 것이다.

봉은 이마트 같은 데서 긴 것 하나를 사서 땅에서부터 자기 목젖 있는 데까지를

자르면 한국봉술과 봉체조 하기에 딱 알맞은 크기를 갖출 수 있게 된다.

봉을 가볍게 하나 사서 운동을 시작해보자.

혼자서도 얼마든지 연습할 수 있다.

봉을 가지고 하기에 지루하지 않고,

꾸준히 운동할 수 있다.

책을 보다가 글을 쓰다가 머리가 복잡해지거나 할 때 봉을 들고 옥상이나 작은 동산에 올라 돌리기도 해보고 허리도 좀 쳐주고, 목과 어깨, 등도 쳐주면 많이 풀리는 것을 느낄 수 있을 것이다.

유튜브 검색 창에 봉돌리기라고 치면 많은 도움을 받을 수 있다.

하나둘 따라 하면서 기술도 익히면 발전하는 자신

을 보면서 조금씩 재미에 빠져들 수도 있다.

가까운 노인복지센터에 봉체조 재능기부로 섬길 기회도 주어질 수 있다.

봉으로 목회자의 건강을 챙겨보자.

행복하고, 멋지고, 아름다운 목회를 위하여

봉술연마 한번 해보지 않으실는지요?

목회자와 스포츠 이야기 4

신학교 때 교양과목을 듣는 중에 배구를 자세히 소개하시는 교수님이 계셨다.

신학교에서 무슨 배구를 가르치나 하고 의아해하기도 했지만, 그때 배운 배구의 상식으로 규칙을 이해할 수 있었고, 배구를 볼 수 있는 시야도 넓어졌음을 알 수 있다.

무슨 배움이든 원리와 구조를 모르고서는 쉽게 와닿지 않을뿐더러, 흥미를 느끼기가 쉽지 않음을 알 수 있다.

8구조영어를 배운 많은 학생 중에는 다양한 분야의 분들이 많이 있다.

그중에 골프를 잘하는 가정이 있었는데, 그때 골프에 대해 이론적으로는

조금 알 기회가 주어졌다.

한 번도 필드에 나가 본 적은 없지만, 골프가 어떻게 돌아가는 것을 조금 이해하고 나니 신문이나 방송에서 골프 얘기를 하면 전에는 전혀 알아듣지 못했는데 이제 조금은 이해할 수 있게 되었다.

18홀 파, 버디, 이글, 보기, 더블보기 정도의 간단한 용어를 통하여 골프를 조금이라도 이해하고 뉴스나 신문을 보면 조금 이해가 되는 것이다.

그리고 광명실내체육관에서 한 바구니 가득한 골프

공을 쳐보기만 해도 운동도 되고 스트레스도 날릴 수도 있다.

교회에서 성탄절은 오전 예배만 드리고 오후 예배가 없다.

그때 우리는 볼링대회를 열 곤했다. 말이 대회지 그저 남은 분들이 모여 볼링을 굴리는 것이 전부인 것이다.

핀들이 쓰러지면서 점수가 합산되고 스트라이크와 스페어 처리된 후에 잘 던져야 많은 점수가 합산된다는 것이며, 켄터키를 한번 쳐야 하는 것만이 볼링은 아니다.

10파운드 무게 정도의 볼을 손가락에 끼우고 정 가운데에 그냥 굴려 놓는 정도의 수준이지만 성도들이나 가족들이 하이파 이브를 하며 서로 축하해주며 격려해 주며 하는 즐겁게 지낼 수 있는 게 볼링의 매력이 아닌가 싶다.

대개는 회당 2번의 기회가 주어지는데 한번 던지고 난 상태가 핀들의 사이가 넓게 벌려져 있을 때 화면엔 숫자에 네모난 사각형이 쳐지게 된다.

핀 사이가 벌려져 있다는 사인이라고 했다.

마지막 10회엔 3번까지 칠 수 있다.

12번 전부를 스트라이크를 치게 되면 이것을 퍼펙트게임이라고 한다.

이런 경우는 거의 없는 일일 것이다.

우리들의 사역에도 완벽한 환경을 만나기는 거의 없다.

무엇이 부족해도 부족한 부분이 있게 마련이다.

다른 사람에게 없는 그 무언가는 가지고 있게 마련이다. 그 가지고 있는 부분을 감사하며 잘 개발하여 목회현장에 잘 사용할 수 있는 길을 조심스럽게 열어가는 것이 중요한 것 같다.

스트라이크를 너무 좋아하지 말자,

때론 하나의 핀도 쓰러뜨리지 못할 때도 있고, 양쪽 웅덩이 빠져서 굴러갈 때도 있고 선을 잘못 밟아 파울을 먹기도 할 수 있다.

항상 새로운 마음가짐으로 하나하나 조심스럽게 다루며 최선을 다할 뿐이다.

오늘날 목회현장에 목회자와 사모의 건강이 무엇보다도 중요한 것이 사실이다.

스트레스를 최대한 줄이고, 가벼운 운동이나, 산책, 등산, 볼링, 바둑, 탁구, 배구, 족구, 풋살, 축구, 봉술 등등 자신에게 맞는 운동 하나쯤을 하면서 나아가야 할 것이다.

목회자와 사모의 건강이 교회에 미치는 영향은 지대하기 때문이다.

오늘도 목회현장과 선교현장에서 사역하시는 모든 사역이 건강하고 행복하고 멋진 사역들이 되기를 간절히 소원합니다.

건강한 교회를 꿈꾸며

예전에 어느 교회 목사님의 사례비 명목을 살펴보았다.

너무 과도한 지출로 보였다.

그뿐만이 아니었다. 사택 지원에다 도서비, 심방비, 어쩌고 저쩌고 해서 지출되고 있었다.

재정이 넉넉하다 해서 교회에서 사례비 책정이 과도하게 되어있으면 목회자 스스로 겸비하여 줄여달라 말할 수 있어야 하겠다.

청빈한 목회자상으로 개신교 목회자의 사례비에 관한 건강한 지표가 있어야 하겠다.

아무리 큰 교회라 할지라도 당 시대 중산층 사례비를 받고 각종 명목은 없애고 사례비에 포함해 지출하면 되는 것이다.

많은 교회가 적은 사례비로 지내며 또는 사례비도 없이 사모의 일과 목회자의 2중직으로 어렵게 목회하시는 분들이 있음을 기억하며 과도한 사례비를 절제하면 좋겠다.

목회자 표준 사례비를 누구나 보아도 수긍할 수 있도록 제정하여 한국교회의 개혁이 필요한 때이다.

다음으로는 교회재정의 투명성이다. 성도들의 정성 어린 헌신으로 드려진 헌금이 선교와 교회사역에 적으면 적게 많으면 많게 그 비율은 지켜지며 나아가야 할 것이다.

몇몇 사람들에 의해 재정이 지출되는 것은 지양해야 할 것이며 이것도 표준지출 비율의 기준이 필요한 것이다.

그리고 교회를 사고파는 행태를 당장 멈춰야 한다. 이제는 교회의 크기와 성도들의 수에 따라 교회를 팔고 사는 시대까지 타락하였다.

교회 스스로 자정 능력을 상실하면 외부에 의해 정화됨을 기억하고 이 시점에서 개신교회는 정신을 차려 교회 스스로 자정하는 모습으로 변모해 나아가야 할 것이다.

목회 대물림도 깊이 숙고해야 할 것이다. 교회의 사유화가 큰 폐단이다. 목회자나 장로나 교인들이 개척할 때 많은 물질을 들여 개척했다 할지라도 공교회로서의 모습을 잃지 말아야 한다.

교회는 개인도 소수 몇 명도, 개척할 때 모든 것을 쏟아부었다고 하는 분들에 의해 좌지우지되는 교회가 아니다.

공교회로서의 교단소속 노회 소속의 교회로 정상적으로 이어지는 교회로서의 그 기능이 작동되는 모습이 절실한 때이다.

교회가 커지면 노회나 총회의 권고를 듣지 않으려는 몇몇 교회도 있다.

좀 더 강한 압력(?)이라도 강해지면 탈퇴하여 자체

교단을 만드는 교회도 있을 정도로 공교회에 대한 인식이 약해진 게 사실이다.

교단도 이래저래 쪼개져서 몇몇만 모이면 교단이라고 한다.

교단이 되면 신학교도 있어야 하니, 군소 신학도 우후죽순으로 뻗어나고 있다. 양산되는 신학교도 문제이다.

또한, 교회의 정치화를 멈춰야 하겠다. 너무나 한쪽으로 치우쳐 극보수를 자청하거나 극좌파를 내세우는 것은 한국교회의 분열만을 가져올 뿐이다. 태극기와 촛불로 대두되는 정치에 휘말리어 한목소리 내어 대처해야 할 사안들이 좌충우돌하며 표류하고 있다.

당장 일선 정치적 행태를 벗어버리고 건강한 교단들을 대표하는 하나의 제대로 된 교회연합체가 있어서 제대로 된 감사로 언제나 교회와 사회로부터 인정받으며 나아가야 할 것이다.

이미 한기총은 많은 부분에서 신뢰를 잃고 있다. 한국교회연합, 한국기독교총연합 등이 겨우 명맥을 유지하고는 있지만, 무엇보다 정치화되거나, WCC WEA과의 관계를 확실히 정리하고 바른 보수연합과 NCC의 진보연합의 두 개의 연합체는 어쩔 수 없는 현실인 것으로 다가오고 있다.

그리고 우리 교회만이 올바른 교회라고 하는 것을

멈춰야 한다.

이것 또한 공교회에 대한 이해 부족으로

주의 몸 된 교회의 연합을 온전히 이해하지 못하고 자기들이 섬기는 교회만이 우월하고 진짜라고 우기는 교회들이 넘쳐나고 있다.

오늘날의 건강한 교회는 무엇인가? 를 늘 고민해야 하겠다.

생명수교회 사역

교회신보사에서 강소형교회란에 글을 좀 써서 보내 달라고 연락이 왔다. 쓸 것이 없어 차일피일 미루다, 사역하고 있는 것을 나눠도 된다는 말에 용기를 얻어 몇 자 적어보고자 한다.

서울서노회에서 전도사를 거쳐 강도사를 하고 있을 때 노회에서 연락이 왔다.
교회 자리가 하나 나왔는데, 물질 가지고 들어오려는 사람들이 많은데, 부족한 제가 목사안수받아 가는 게 좋겠다는 얘기였다. 하지만 상황은 무척이나 힘들어하던 때에 가게 된 것이다. 물론 돈으로 가는 것이 아닌 성도들과 함께 헤쳐 나가야 한다는 저의 제안에 모두가 동의해 시작한 단독목회가 신월동에서의 출발이었다. 열심히 주님만 바라보고 주보에 지난주 설교를 빼곡하게 적어 올리던 기쁨으로 신나는 사역, 행복한 사역이 바로 목회의 현장이었다.
물질과 상관없으니 얼마나 행복한 사역인지 모르겠다. 목회자 후보생 교육에선 '행복 목회'란 주제로 후배 목사님들에게 주어진 여건 속에서 주님만 바라보며 나아갈 수 있다면 그는 진정 행복한 목회자라고 강조하기도 했다.

그러나 현실목회에서는 여전히 후임 목회자는 꼬리표가 계속 따라붙었고, 더 이상의 희망이 보이지 않고, 저 자신의 부족함과 실수들이 뒤범벅되면서 더 이상의 교회를 지탱할 힘을 잃어버리고 말았다. 7여 년을 쌓아온 것들이 한순간에 무너지는 것을 속수무책으로 바라만 볼 뿐 어디서부터 손을 봐야 할지 모르는 상황으로 사역들이 전개되어 갔다. 모든 것을 내려놓을 때가 온 것이다. 이때 양평의 한 허름한 집에서 집을 고치면서 지낼 사람을 구하는 것을 접하고 한걸음에 달려갔다. 책들을 놓을 장소가 마침 정해진 것이었다.

양평의 허름한 집에 도착해 보니 다 쓰러져가는 초가집 같은 것이 한 채가 있었다. 방을 열고 들어가니 거미줄이 사방에 처져 있었고, 죽은 고양이가 누워서 마치 '목회하다 왜 이런 곳에 오게 되었나?'라고 질문을 하는 듯하였다. 속으로 죄 많아 하나님이 보내셨다고 대답하고 이곳을 청소하며 정돈하기 시작했다. 이렇게 청소와 정돈이 내 마음과 영혼도 청소되고, 정돈된다는 사실을 그때 많이 느꼈다. 그리고 육체 또한 건강하게 되었다. 온종일 치워도 끝이 없는 작업이었다. 먼저 계시던 분도 목사님이셨는데, 어디서 모아 왔는지 못 쓰는 TV와 라디오들이 마당에 수없이 나뒹굴어 있었다.

얼마나 지났을까? 금천구 시흥동에서 어린이집 운

전기사를 모집한다는 소식이 들려왔다.

목회하다 쉬고 있는 사람에게 할 수 있는 일이라고는 운전하는 일밖에 없는 듯하여, 바로 달려가 시작한 일이 시흥동의 어린이집 사역이었다. 이 어린이집 운전 사역을 통하여 다시 일어설 힘을 얻었다. 실핏줄이 퍼런 얼굴의 곱디고운 아이들의 눈망울을 통한 정화. 그야말로 다시금 나를 돌아볼 수 있는 좋은 시간의 연속이었다. 모든 것을 내려놓고 어린이들을 바라볼 수 있는 놀라운 장소에 보내 주신 하나님께 너무나 감사를 드리지 않을 수 없었다. 한 번 차량운행을 돌고 와서 중간에 쉬는 시간엔 골방에 들어가서 기도하며,

책을 볼 수 있는 행운도 얻었다. 그렇게 살아계신 하나님께서는 한없이 부족한 사람을 버리지 아니하시고 다시 궁휼을 베풀어 주셔서 청소하며, 어린이들을 만나며 다시 회복할 수 있는 길을 허락하신 것이었다. 시간이 흘러 금천구에 뿌리를 내리면서 생명수교회를 개척할 수 있는 여건도 마련되어 오늘에 이르고 있다. 모든 것이 하나님께서 베푸신 은총의 현장이다. 모든 영광을 하나님께 돌립니다.

영어사역을 통한 교회개척

어린이집에서 중간에 쉬는 시간에 영어공부라도 하나 해 놓아야 하겠다는 생각이 들었다.

신월동의 딸과 아들이 중학교 다닐 때였는 데 목동권의 학원비가 엄두가 나질 않아 못 보내고

있었을 때, '수학은 몰라도 영어는 내가 조금 배워서 가르쳐 주면 되지 않겠나?'라는 생각으로

영어책을 들기 시작했다. 우리가 어렸을 땐 한문 위주로 공부를 하다 보니 영어를 많은 부분에서 놓치고 있었고 시험에 대비한 영어로 그때 그때를 넘긴 것이 전부였다. 막상 새롭게 해 보려니 어디서부터 시작해야 할지 막막하였다. 기초와 원리에 관한 책을 발견하는 즉시 사서 보기 시작했다. 물론 주님께서 샘솟는 은혜와 지혜를 지속해서 공급하시고 계심을 느끼면서

말이다. 그리고 영어 잘 가르친다고 하는 데를 여러 곳 찾아 문을 두드리기도 하였다.

결정적으로 OMS라는 영어선교단체를 만나게 되어 공부도 하고, 강사까지 되기도 하였다.

영어의 기본기와 틀은 여기서 다질 수 있어서 얼마나 감사했는지 모르겠다.

하지만 여전히 확 뚫리지 않는 뭔가가 늘 마음 한쪽에 자리 잡고 있었다. 창세기 11장의 언어는 하

나였다는 말씀이 늘 머리에서 떠나지 않았다. 특히 영어에 있어서, 읽고, 쓰고, 듣고, 말하기가 하나의 원리지 따로따로 가는 게 아니라는 생각이 늘 나를 압박해 주었다.

골방에 들어가서 기도하면서 주님께서 주시는 영감으로 책을 보기 시작했다. 다시 새롭게

보이기 시작했다. 그렇게 몇 년이 흘러 드디어 8가지 구조체계를 완성할 수 있었다.

영어의 모든 위치에 올 수 있는 단어와 절과 구가 교차하면서 모든 말들이 이루어진다는

단순하면서도 원리로 이해할 수 있도록 체계화하여 도표로 표현할 수 있는 길이 마련된 것이다. 양평을 오가는 기차 안에서 차창으로 지나는 북한강의 물안개를 보면서 그림도 그려보고

이야기도 만들어 보고…. 이 모든 것이 주님께서 주시는 은혜의 영감이 아닐까 싶다.

지혜를 샘솟듯 부어 주시니…. 하나하나 풀리기 시작하였다. 5년여의 준비 끝에 드디어

"생수8구조원리영어"를 세상에 내놓을 수 있게 되었다. 그러나 아무도 알아주지 않았다.

그래서 어린이집을 나와 공부방을 시작했다. 8구조원리영어가 너무나 내겐 귀하고 좋았지만

일반 사람들에겐 생소하며 여러 가지 공부방법 중에 하나라도 여길 뿐이었다.

할 수 없이 당시 막 시작된 '해법 영어'라는 간판을 달게 되었고 내부적으로는 8구조를 가르쳐보기로 했다.

책상 몇 개가 전부인 허름한 공부방에 몇 명이 놀러 왔을 때, 최선을 다해서 가르쳤다.

하루하루가 달라지기 시작했다. 하나님께서 보내주신 것이 틀림없었다.

아무도 찾지 않는 시장통의 한 창고 같은 곳에 누가 오겠는가? 바로 옆에는 리딩타운 등 번쩍번쩍하는 시설과 노하우란 노하우는 다 가지고 있는 학원들이 즐비한데 말이다.

그러나 내게도 기회가 왔다. 그 몇 명의 학생들을 가르쳐 성과가 나타나기 시작하니 어머니들의 소개로 한 명 두 명 오기 시작한 것이다.

드디어 생수8구조원리영어가 빛을 발하기 시작한 것이었다. 영어로 힘들어하던 친구들이 재밌게 그림과 도표 되어있으면서 원리로 나아가니 모두가 신기해하는 것이었다.

공부방을 옮겨 교회와 같이 운영하는 장소로 두 번 옮기면서 오늘의 생명수교회가 될 수 있는 계기가 된 것이다.

무엇보다 저의 딸. 아들이 8구조원리영어를 배워 학원도 안 다니고 대학에 다 들어갈 수 있는 은혜를 입었다. 그리고 소수의 학생을 집중적으로 가르치니 효과가 너무나 좋았다.

공부방은 여기까지였다. 이제는 세미나 형식으로 교회로 찾아오는 사람들과 함께 나누며 교회사역의 보조시스템으로 자리 잡았다. 교회개척에 조금이라도 도움이 될 수 있지 않을까?

하여 몇 자 적어보았다. 분명한 사실은 집중하여 파고들면 이루지 못할 것이 없다고 하는 교훈을 얻은 것이 큰 수확이었다. 교회를 개척하여 오늘날까지 10여 년을 이어올 수 있었던 원동력 또한 8구조원리영어가 큰 힘이 되고 있으니 너무나 감사한 일이다.

원어사역을 통한 교회개척

성경을 원전으로 보고 싶은 열망은 끊임없이 가지고 있는 도전의 불씨였다.

헬라어, 히브리어로 성경을 가르치는 많은 곳을 찾아 문을 두드렸다. 정말 훌륭하신 목사님들을 많이 만날 수 있었던 것이 은혜였다.

물론 원어로 이상한 쪽으로 흘러간 분들도 많았다. 성경해석을 제각기 하니 부딪힘도 많이 일어났다.

신학의 기본을 갖추고 원어를 공부하고, 일단 문법적 흐름에 주목하여 문장의 기본 해석을 할 수 있어야 한다. 우리는 그동안 원어를 해석해 놓은 책들을 많이 보아왔다. 이제는 원어분해성경이라해서 발음까지 쓰여 있고,

파싱(문법분해설명)까지 다 되어있어서 누구든지 책을 읽을 수 있으며 본문을 볼 수 있는 시대가

된 것이다. 하지만 문장 구성요소를 정확하게 알고 문법분해를 이해할 힘을 길러야 제대로 문장을 이해할 수 있게 되는 것이다. 그러므로 신학적 논쟁은 입장 차가 크기에 논란을 피하고, 무엇보다 먼저 본문에 충실한 원전 문장 구조의 이해를 위한 공부를 해야 할 것이다. 신학교 다닐 때 머리, 꼬리 외우다가 시간 다 지나갔는데, 문법분해대조 성경은 이 문제를 한꺼번에 다 해결해주었다. 외우지

말고 이해만 하면 된다. 이해하면서 성경을 계속 보다 보면, 머리, 꼬리도 어느 정도 눈에 들어오게 된다.

외우지 말고 눈으로 보면서 이해하면서 원전 성경을 지속해서 읽어 나가는 게 더욱 중요한 것이다.

이 원전도 8구조원리에 입각하여 보게 되니 너무나 편안한 가운데 문장들이 눈에 들어오기 시작하였다. 헬라어의 문장 구조의 원리를 깨닫고 읽어야 하며, 히브리어와 아람어를 그렇게 읽을 수 있으면 되는 것이다.

특별하게 주신 8구조원리로 원전을 이해하며 많은 은혜를 경험하게 되어 그 받은바 은혜를 나누고자 하여 가끔 요청으로 세미나를 개최해 오고 있다. 전적인 주님의 은혜로 말이다. 로고스 출판사에서 나온 '히브리어 분해대조 성경'과 '헬라어 분해대조 성경'을 읽기 시작하면 원전이 풀리기 시작하는 단순한 원리가 적용되는 것이다.

멀게만 느껴졌던 원전을 가까이 두고 자주 읽고 은혜를 받아 그 받은 은혜를 말씀선포에 적용하게 될 때 우리들의 강단은 더욱 새로워지며 놀라운 은혜로 가득하게 될 것이다. 강단에서의 바른 말씀선포로부터 개혁의 물결이 흘러가야 할 것이다.

너무나 어려운 한국교회에 원전 읽기 운동이라도 시작해야 할 것 같다.

그런 사명을 사역으로 주신 하나님의 은혜로 여기까지 온 것 같다. 몇 년 전에 시작한 창세기와 마태복음을 지금도 하고 있다. 몇 년이 걸릴지도 모른다. 원전을 하나하나 곱씹으며 주님 주시는 힘으로 말씀을 받는 차원에서의 리딩이 무엇보다 중요할 것이다. 헬라어와 히브리어

그리고 아람어 나아가 페쉬타(시리아어 신약성경)를 이해할 수 있을 때까지 지속해서 원전에 관심을 가지고 도전해야 할 것이다.

주경신학이 땅에 떨어진 이 시대에 말씀으로 돌아가라는 종교개혁의 외침이

오늘 우리의 목회현장에 큰 울림으로 다가오고 있는 것은 너무나 당연하다.

헬라어, 히브리어, 아람어 그리고 페쉬타를 향하여 오늘도 주님께서 주시는 힘과 에너지로 힘차게 전진하고 있다. 우리 모두 원전에 관심을 기울이고 말씀연구에 힘을 쏟으면 좋겠다.

요즈음 저는 8구조원리 중국어를 연구하고 있다. 머잖아 중국어 성경반도 개설하여 중국어도 원리로 이해하고 공부할 수 있는 길을 열어주고 싶다.

지금까지 부족한 사람이 하는 사역을 몇 가지 적어보았다. 끝까지 읽어 주셔서 감사드리며, 늘 주님의 크신 은혜가 가득하시길 기원하며 모든 영광을

살아계신 하나님께 돌립니다.

충북 괴산 쌍곡계곡에서의 말씀묵상

당산동 소망교회에서 사역할 때 3개의 교회가 연합
으로 수련회를 간 적이 있다.
장소는 충북 괴산의 한 폐교였다.
도착하자마자 삽과 나무를 이용하여 간이 화장실부
터 만들었다.
둘째 날 이른 아침 근처에 있는 쌍곡계곡이란 곳에
가게 되었다.
그야말로 물의 흐름이 장관이었다.
어디서 이렇게 콸콸 쏟아져 내리는 걸까?하며 여호
와는 많은 물 위에 계시다는 말씀이 저절로 생각나
는 게 아닌가?

그리곤 손에 들려있는 빨간색 볼펜과 용지에
지금 눈 앞에 펼쳐진 많은 물소리의 흐름을
그리기 시작하였다.
다른 사람이 보면 무엇을 그렸는지도 모를 그림인
데 그 날의 쏟아지는 물소리를 담아내기에
충분한 그림으로 내겐 다가오고 있다.

그분의 솜씨인
자연에서 들려오는
그분의 음성

그분과 함께 살아갈 때만이
들려오는 그분의 음성

그 음성을
지금도 또렷하게
들으며 살고 싶은
마음 간절하다.

책장을 넘기가 누렇게 변해버린 3장의 종이를
만났다.

그 날의 기억이 새록새록 하며
그 날의 소리가
이 한여름에
시원한 폭포수같이 생명수같이
내게로 다가오고 있다.

삶에서 만난 꿈 이야기 1

어젯밤 꿈엔 주방 싱크대로부터 큰 물고기가 잡혀 올라왔다.

머리와 꼬리 부분을 잡고 커다란 물통에 넣고 퍼덕이는 물고기를 바라보다 잠에서 깨어났다.

살면서 자면서 사람들은 수많은 꿈을 꾸며 살아가고 있다.

내가 꾼 수많은 꿈 중에 너무나도 귀한 꿈을 꾼 적이 있어 나누고자 한다.

어딘가에서 말했을지도 모르지만 그래도 한 번 적어본다.

그 꿈은 이렇게 시작했다.

넓은 강 같은 곳이 펼쳐져 있었고

가운데는 둥그런 섬이 하나 있었다.

나는 수영을 하여 그 가운데에 있는 섬으로 가고자 열심히 손과 발과 호흡을 쉬지 않고 계속하고 있었다.

아무리 발버둥을 쳐도 수영으로는 한 물길도 가를 수 없었고 계속 같은 자리에 머물러 있었는데 여전히 손과 발의 몸짓은 멈추지 않고 계속되는 것이었다.

꿈속에서도 이상한 생각이 들어 손과 발의 움직임을 멈추고 주위를 둘러보았다.

손짓 발짓을 멈추었는데도 그대로 떠 있는 것도 신

기했다.

좀 더 주의를 기울여 살펴보니 누군가 나를 두 손으로 떠받치고 있는 것이 아닌가?

그분은 주님 같았다.

그 인자한 모습으로 나를 안아 물 위에 뜨게 하고 계셨다.

나의 손짓 발짓을 멈추자 그분은 잔잔한 미소를 지으시며 나를 감싸 안은 부드러운 손의 품으로

조금 더 세게 감아 주시면서 가운데 보이는 섬으로 스스로 밀고 나가시면서 물길을 가르고 계셨고 마침내 가려던 방향이었던 중앙에 있는 섬에

도착하니 서서히 힘이 빠져나가면서 사라지시는 그분을 느낄 수가 있었다.

그리곤 눈을 떴다.

내 힘으로 아무리 발버둥 쳐봐야 그 자리에서 맴돌 뿐이며 내가 멈추고 힘을 빼고 그분의 행하심을 바라볼 때 한 길이라도 앞으로 나아갈 수 있음을 알 수 있었다.

그 꿈은 평생 잊히지 않는 놀라운 꿈이 되었다.

살아가면서 목회하면서 가장 기본이며 근본임을 깨닫고 가기에 충분하며 힘들 때면 언제나 되새겨 보는 꿈이다.

그 꿈으로 인하여…….

그분에게 붙잡힌 바 되어

그분의 흐름 속에서
그분의 원하시는 방향으로
그분이 옮겨 주시는 그 물길의 가름을 맛보면서 도착하게 될 것이라는 분명한 생각을 가지게 되었다.
오늘도 내 힘과 능력이 아닌, 전적인 그분의 힘과 능력으로 인도함을 받고 앞으로 나아가는 삶과 목회가 되었으면 한다.

삶에서 만난 꿈 이야기 2

얼마 전 새벽예배를 마치고 주님의 세미한 음성을
들으려고 무릎을 꿇고 눈을 감았다.
어떤 큰 건물에 들어가게 되었다.
이 건물은 보통 건물과는 구조가 아주 달랐다.
내가 가려는 입구까지 복도로 연결되어 있었지만,
천정이 너무 낮아 도저히 걸어갈 수가 없었다.
기어서만 조금씩 앞으로 나아갈 수 있을 뿐이었다.
한참을 기어가다 보니까, 오른쪽으로 동그랗게 생
긴 조그만 공간들이 중간중간 있었다.
다행히도 그 공간은 설 수가 있어서, 잠시 쉬었다
가 다시 기어서 앞으로 나아갔다.
이렇게 가다가 서기를 몇 번 반복한 후에야 마침내
내가 가려는 방에 도착하게 되었다.
깜짝 놀라서 눈을 떴다.
주님께서 왜 이런 모습을 보여 주셨을까?
나 자신의 더 낮아지지 아니한 부분을 주님께서는
완전히 더더욱 낮아져서 기어가야만 한다고
가르쳐 주신 것이다.
혼자서 가는 길이었지만
주님이 나와 함께 해 주셨던 길이었고
그 중간마다 영. 육이 쉴 수 있는 공간을
허락하심을 깨달을 수가 있었다.

주님을 믿는 사람은 이미 하나님의 종이다.
종의 진정한 의미는 도마 위에 놓인 생선이 토막으
로 잘려 완전히 녹은 상태를 말한다.
종의 인생은 주인만을 나타내며 사는 인생이다.
하나님의 도움이 없으면 한 걸음도 뗄 수 없는
이 광야에서 진실한 마음으로 주님의 크신
사랑을 나누기를 바라신다.
주님이 원하시는 장소까지 엎드려진 만큼
낮아져서 행하는 나눔만이, 온전히 주님을
나타낼 수 있다.
낮아져야만 쓰임 받을 수 있는 종이 될 수 있다.
차가운 날씨에 뜨거운 물이 없을 때는 숨이라도
죽은 물이면 요긴하게 사용할 수 있게 되는 물이
된다.
김치를 담글 때 배추 그대로는 담글 수가 없다
소금에 절여 숨을 죽인 다음에라야 비로소
김치를 담글 수 있게 되는 것이다.
우리네 삶에서도 자신의 고집과 아집에 사로잡혀
생활할 때가 얼마나 많은지 알 수 없다.
자기 뜻대로 되지 않을 때 주위의 환경을
탓하고 불평과 원망과 한숨으로 나타날 때가
얼마나 많은가?
이런 우리들의 모습에 숨죽은 물과 배추처럼
고분고분해져서 하나님께서 마음대로 쓰시기에

부족함이 없는 사람이 되어야겠다.

아직도 숨죽이지 못한 옛 생활들의 모습들….

생각하기도 부끄러운 일들이 우리에게는 얼마나 많은가?

이러한 일들을 과감히 떨쳐내고 일어나 숨죽인 인생으로 바뀌어야 할 것이다.

주님이 요구하시는 삶을 살려면, 먼저, 주님이 쓰실 만한 준비된 모습이 있어야 할 것이다.

주님이 쓰시려고 하는데 자기 생각과 주장만을 내세우며 뻣뻣한 배추처럼 차가운 물처럼 자신을 있는 그대로 나타내면 사용을 할 수가 없다.

우리네 삶도 주님께서 쓰시기에 알맞은 숨죽인 생이 되어야 하겠다.

더욱 낮아져서 기어서 가야 하는 길임을 잊지 말아야 할 것이다.

꿈을 통해 어리석은 종의 순간순간을 인도하고, 가르쳐 주시는 하나님을 생각하니 마음이 든든해졌다.

목양단상

시편 18:30
하나님의 도는 완전하고 여호와의 말씀은 정미하니
저는 자기에게 피하는 모든 자의 방패시로다.

하나님의 말씀의 도(道) 외에는,
이 세상에서 그 어떠한 것에서도 참 구원의 진리를
찾을 수 없다.
천지를 지으시고 나의 삶을 지금까지 인도하여 내
신 하나님께 감사하지 않을 수 없다.
여호와의 말씀은 정미(精米)하여 빠져나오지 못하
게 하는 그 무엇과도 같다.
나 같은 죄인 중의 죄인도 찾아주시고
주님 말씀의 투망에 주님의 그 넓고도 넓은 품으로
안아 주시니 무한 감사를 드릴 뿐이다.
이 세상에 나 같은 죄인을 부르신 주님, 불러주신
주님,
그 어떠한 사람도 다 하나님께서 놓치지 아니하시
고 불러주시는 하나님.
하나님께 피하는 모든 자가
하나님의 보호하심을 받는다 하였는데
모든 자 안에는 나 같은 죄인도 들어있음에 무한
감사할 뿐이다.

이 세상에 많은 사람이 이 모든 자안에
들어오면 그 얼마나 좋으랴
하나님의 그 넓으신 품으로…….
이제부터는 그간 목회하면서 꼭 기억해야 할 말들
을 적어 놓은 것을 나누고자 한다.
먼저,
하나님만 바라보는 목양 하라!!
하나님께 흡족한 목양 하라!!
하나님께 기쁨이 되는 목양하라!!
모든 일에 가장 좋은 쪽으로 생각하며 받아들이며,
주님의 뜻을 기억하라!!
주님의 일, 목회 활동에 불 협조로 인하여
진행키 어려울 때도 늘 최선책을 택하고,
늘 은혜로 진행하라.
기쁨으로 즐거움으로 일하는 사람들과 함께 일하라.
억지로 마지못해 참석하는 사람들은 그냥 왔다 가
는 사람으로 자극하지 말라
깨달을 때까지 받아들이고 그의 신앙성숙도에 따라
권면하라!!
일을 벌여놓고 진행되는 과정을 즐겨라!!
목회를 신나게 할 수 있도록 성도를 자극하라!!
신앙은, 도전, 훈계, 책망, 권징(꾸짖음이 진정한 사
랑이다)으로 생활은 사랑으로 하라
목회자는 이럴 때 무너질 수 있으므로 주의하라!!

1) 상처받는 말, 환경(상황)으로 당할 수 있다. =>
낙심, 좌절 등으로 무너질 수 있다.
2) 교만해질 수 있다. (하나님께 버림받음)
3) 도덕적 윤리적으로 무너질 수 있다. (목회결함으
로 낙마한다. 물질, 명예, 이성에 주의하라!!)

목회자의 스트레스(고통)는 성도들의 스트레스(고
통)만큼은 받게 되어있음을 알고 있어라.
섬김(대접)을 받으려 하면 속 터진다. 알아서 섬겨
주는 목자가 되어라!!
귀신의 소리듣는자, 귀신의 소리 듣고 이용당하는
자, 가까이에 있음을 늘 기억하라.
성령의 소리를 분명히 듣고 말씀에 붙잡힌 바 되어
승리의 삶을 살아라
오직 그분의 은혜로만 가능함을 고백하고 살아라!!
간다고 하는 사람 주안에서 최선을 다해 보내드려라,
너무 부담 주지 말고 주께서 보낸 것으로 알아 가
도록 보내줘라.
온다고 하는 사람 주안에서 회복될 것을 바라보고
주님께서 붙여주신
사람으로 알아서 최선을 다해서 양육하라!!
보낸 사람이 있다는 것은, 올 사람도 있음을 기억
하고 목회하라.
즉 무더기로 나가고 귀한 분이 나가도 두려워하지

말라.

목회현장에서 아무것도 남은 것이 없어 보여도,

특히 사람 보기에는 실패한 것처럼 보여도,

남아 있는 것으로 감사하며 일어나야 한다.

목회, 목양은 하나님께서 하시는 것이다.

주님께 맡기고 최선을 다할 뿐임을 기억해라!!

목회자 자신이 실족하는 길로는 가지 마라.

자신은 물론, 교회 전체가, 가정이 무너지기 쉽기 때문이다.

항상 긍정목회를 해라!!

주어진 상황과 주어진 여건 속에서 가장 긍정적으로 생각하고

아직도 내게 있는 것을 찾아 감사하고 다시 일어나라.

특별히 다 끊어지고 다 없어지고 다 실패해 보일 때도

아버지 하나님께서 나와 함께 있음을

아직 끊어지지 아니한 그 무언가가 있음을 바라볼 수 있어야 한다.

주님께서 따르던 제자들이 다 떠났을 때 나는 혼자 있는 것이 아니라 아버지가 나와 함께 있다고 말씀하신 것을 늘 기억하며 목양하라.

목회 사명 감당하면서 주님께서 당하셨던 고난과 같은 모습이

조금이라도 보이면 그것이 목회의 최고의 기쁨으로

알아라.

목회자의 가장 큰 은혜는 바로 그것에 있음을 기억하라.

어떠한 큰 문제가 발생했을 때

왜 내게 이러한 문제가 생겼는가를 생각하며

분노하지 말고 내가 헤쳐 나가야만 하고

내가 풀어나가야만 하는 하나의 인생 과제가 다가왔다고 생각하고

그 문제를 가장 은혜롭게 해결할 수 있는 힘 달라고 기도하고,

주님께서 주시는 최선의 지혜로 그 큰 문제를 슬기롭고 지혜롭게 헤쳐 나아가는 하나님의 사람이 되어라!!

말끝은 흐리지 말고 분명하게 하라.

너무 빠르게 말하지 말고 분명한 내용을 전달하라.

청중(하나님의 백성, 하나님의 양)을 분명히 바라보고 말씀을 증거하라!!

가장 은혜 끼치는 설교를 하게 해 달라고 기도하고, 찬양함으로 철저히 준비해라.

가장 자연스러운 것이 가장 큰 은혜이다.

했던 말, 했던 예화 또 쓰지 말라.

쓸데없는 시간 끌기를 하지 말라!!

세상에서 그 어떠한 고난 중에 있다 할지라도

주님 십자가 바라볼 때 이길 수 있음을 기억해라.

주님의 그 고난 깊이를 몰랐네!
주님의 그 사랑 넓이를 몰랐네!
그러나 이제 주의 십자가 보혈 그 물과 피를 밝히
보이네.
이 세상에 그 어떠한 고난 중에도
주님의 그 고통 안에서 참을 수 있는 일인 것이다.
그 고난 중에
나와 함께 해주시는 그 영으로 나는 주와 함께
춤추리. 세상 끝날 그 날까지….
나의 주를 바라보노라.
나의 주를 알아 가노라.
주를 알아 간 만큼 주의 뜻 본받아
아버지의 일을 감당하려는 몸짓으로
오늘을 살아가리.
세상에서 숱한 분주함과 바쁨으로 주를 바라보지
못하게 막는 사단의 공격이 있다 할지라도
주를 향한 마음 주신 아버지의 그 사랑 인하여
어렴풋이 떠오르는 주님의 그 눈물
주님의 그 보혈이 가장 큰 위로가 될 것이다.

Part 2

코로나 19 아침 묵상

가족 이야기

달과의 인연이 깊다

태어난 곳이 월출산(月出山)(전남 강진)을 배경으로 살아가는 농경마을(작천면)의 한 대나무 숲 우거진 곳(삼당리)이라 말할 수 있어서이리라.

월출산에 달이 걸린 모습과 게다가 까치 날며 대나무 숲에 걸린 달이면 어찌 달님과 벗하지 않겠는가?

위로 누나가 한 명 있었다고 하는데 그 이름이 월임이었다고 한다.

본 적도 없지만, 월임이 누나라 부를 수 있었을 예쁜 이름이다.

공덕동 비탈길에서 만난 달님은 한결같이 그 힘찬 응원을 아끼지 아니한 어진 이의 모습이었다.

연남동 뚝방마을에 달이 뜨면 가장 낮은 자들이 엉기성기 모여 이야기하기도 고성을 지르기도 싸우며 뒤엉켜 소란스러 보여도 환하게 웃음지어 주던 임이 아니었는가.

모래네 시장에 달이 뜨면 사람 사는 맛깔 나는 세상이 펼쳐진다

네루식 연탄으로 방을 뜨겁게 하여 자다가 오른쪽 발 정강이에도 작은 보름달이 새겨지기도 했다.

상계동 꼭대기 성현교회 위에 달님은 차가운 겨울 바람을 모두 견딜 수 있게 해 주었다.

경계설 때 떠오른 둥근 달 속의 어머니는 언제나 포근하게 감싸주지 않았던가.

새 달이 뜨는 신월동에 둥지를 틀고 일심으로 섬겨늘 사랑으로 성장과 고통과 좌절을 고스란히 받아적어준 달님이 아니던가.

시흥동 어린이집 운전석 차창으로 비쳐오는 달님은 맑디맑고 실핏줄 선선한 아이들의 해맑은 웃음을 머금은 달님이 아니었던가.

경기도 지평면 월산리에 터를 잡아 모든 시름 잊고 다시 일어설 수 있게 두 손 잡아주던 월산리의 달이 아니던가.

그달이 오늘 시흥동 현대시장 길 달님으로 호암산에 걸친 달님으로 생명수 옥상의 달님으로 언제나 함께 주고 있다.

나의 선친 이야기

나의 선친의 성함은 이도근이셨다.

전남 강진군 작천면 삼당리가 집이었는데, 해방과 6.25를 통하면서

선친께서는 제주도로 가시고 돌아가신 어머니께서는 3살인 나만 데리고 서울로 향하는 갈라짐의 길을 갈 수밖에 없었다고 했다.

내가 선친을 처음 만난 곳은 제주도였다.

초등학교 5학년 때 사촌 형인 용진이 형과 함께 목포행 기차에 몸을 싣고 처음 아버지를 만나러 가게 되었다.

기차역에서 사촌 형은 양복주머니에 넣어두었던 돈을 다 잃어버리고

오도 가도 못 하는 신세가 되었다.

당시 대학생들이 수련모임을 제주도로 가는 일행이 목포행 기차에 함께

타고 있었는데, 우리의 딱한 사정을 듣고는 자기들이 묵을 방에 함께 호의를 베풀어 주어 무사히 제주도에 도착할 수 있었다.

주소를 가지고 찾아간 곳은 산중 깊은 곳에 있는 허름한 집 한 채에 닭과 개가 뛰어놀고 있는 곳이었다.

거기서 닭을 잡아서 삶아서

보리밥과 함께 된장에 고추를 찍어 먹는 반찬이 다였는데 너무나도 달콤한 밥맛이었다.

다음날 삼양해수욕장으로 향하여 가서 튜브를 타고 수영을 하다 뒤집혀서 물 잔뜩 먹고 죽는 줄 알았다.

몇 년 전 가족여행으로 다시 찾은 삼양해수욕장은 검은모래해변이었는데 어렸을 때는 전혀 기억이 나지 않고 삼양해수욕장이란 말만 기억에 오래도록 자리 잡고 있었다.

그리고 사촌 형과 나는 서울로 돌아왔고, 이듬해에 선친께서는 드디어 서울로 올라오시게 되어 처음으로 네 가족이 하나가 되어 살아가게 되었다.

선친께서는 공덕동 대한제분에 입사하셔서 열심히 일하셨다.

돌아가신 어머니와 형과 나는 선친에 대한 기억은 주로 엄하디엄한 모습으로만 기억되어 있었다.

한문을 강조하셔서서 무릎 꿇고 두 손 들어 그날 외우지 못한 한문을 점검받고서야 손을 내릴 수 있었고 잠을 청할 수 있었다.

술을 좋아하셔서서 주님은 별로 안 좋아하셨고, 주(酒)-님만을 좋아하셨다.

경찰을 좀 하셨다는 이야기도 있고, 훈장 선생님을 좀 하셨다는 이야기도 있다.

노년엔 책력이라는 빨간색 책을 가지고 이름과 생년월일로 풀어주는 사주를 보아주는 일도 하셨고,

화장품으로 어찌어찌하여 점 빼는 약을 개발하여, 친척들의 점을 많이 빼주셨던 기억이 난다.

어렸을 때 나는 아비 없는 자식이란 소리가 듣기 싫어서 아버지가 제주도에서 오셨을 때 나는 얼마 지나지 않아 바로 아버지라고 불렀다.

하지만 형은 워낙 고집이 세서 아버지께서 돌아가실 때까지 아버지라 부르지 않은 것으로 기억된다.

그렇게 기도하며, 주님께 함께 나아가자고 했건만, 끝내 받아들이지 아니하시고, 내가 방위를 받는 중간에 유명을 달리하셨다.

돌아가시기 며칠 전까지 내가 면도를 해드렸다.

까칠한 털들에 거품을 발라드리고 면도기로 밀어드린 기억이 새록새록 하다.

마침 경기도 연천에 아시는 목사님이 계셔서 묘를 쓸 수가 있었다.

처음엔 좀 다니기도 했는데, 최근에 거의 못가 봤는데, 지난해 인가 형이 다녀왔는지 사진 몇 장을 보내왔다.

돌아가신 뒤에 효도는 형이 더 잘하는 것 같다.

그때 배운 한문으로 평생을 살고 중국어 성경 보는 데 큰 도움이 된다.

그래도 보고픈 아버지이다.

나의 돌아가신 모친 이야기 1

나의 어머니의 성함은 한정례이셨다.

일본에서 중학교 다니셨고 해방 후에 고향으로 오셔서 사시다가 전남 강진군 작천으로 시집오셔서 성동댁이라는 칭호를 얻게 되는데 어릴 적 내 귀에 들려온 "성동떡"이 친숙하였다.

위로 형과 누나가 더 있었는데 아주 어릴 때 약도 없는 산골이라 손도 못 써보고 보내야만 했다고 했다.

형과 나만 살아남았다고 한다.

시골에서 어머니께서 갑상샘이라는 병을 발견하고 무조건 서울 가야 살 수 있다는 생각으로 어린 나를 업고 해남으로 광주로 밭일과 부엌일을 도와 차비를 마련하여 서울 청량리에 도착하였다.

당시 하루 벌어 하루 사는 사람들이 역 주변에 얼키설키 살고 있었다.

어머니께선 어린 나를 업고 무교동으로 이것저것 팔러 나가셨다.

어린 나는 그때 이미 뭔가 알았을까(?)

내가 슬픈 표정을 하면 그날 장사가 잘되고 빵긋 웃으면 장사가 안된다.

과일 몇 개 올려놓은 바구니를 단속반이 발길질로 걷어차고 파출소는 다반사로 다녀가는 곳이었다.

낮에는 동네를 돌아다녔고 저녁엔 무교동으로 움직

이셨다.

그러던 중 캐나다 선교사(킴스리킴)(당시 어렴풋이 불린 이름)님을 만나게 되었다.

목은 부을 대로 붓고 눈은 뒤집히고 하는 갑상샘의 모습에 당장 수술하지 않으면 위험하다고 병원에 힘을 써 주셨다.

수술날짜가 잡히고 나는 보육원에 2주간 맡겨졌다. 지프가 와서 어머니를 데려갔고 무슨 일인지 이해할 수 없었지만, 어머니와 헤어진다는 것만 직감하고 한참을 차가 떠난 곳을 바라보며 울었다.

보육원에서 2주간 지내는 데

그곳 애들이 다 시원찮아 보였다.

하루 만에 다 평정하고 대장 노릇 하고 돌아다녔다. 겁도 없이 말이지…….

2주 후 수술에 성공하여 나는 보육원에서 다시 어머니 품으로 돌아갈 수 있었다.

이제 병원에서 약을 타오는 일은 나의 일과가 되었다. 꾀죄죄한 모습으로 병원에 가서 약을 받으러 갔을 때 간호사들이 나를 깨끗이 씻어주고 새 옷도 입혀주고 나서야 약봉지를 손에 쥐여줬다.

어느 날엔가는 버스를 혼자 타는데 버스 안내양이 길 잃은 아이인 줄 알고 나를 파출소로 데려갔다. 어머니 덕(?)에 자주 다니던 익숙한 파출소였다. 직원들도 친절하게 대해주고 조금 기다려서 보호자 찾아보자고 했고 국수 같이 먹으러 가자고 했다.

시장에서 국수 먹는데 얼른 먹고 살금살금 기어서 도망쳐 온 기억이 어제 일 같다.

죽음의 길에서 만난 주님의 은혜 베푸신 손길로 선교사님을 만나

육신의 치료는 물론 영혼의 안식도 얻게 되는 놀라운 길로 갈 수 있었다.

모든 것이 그분의 인도하심이었다.

나의 돌아가신 모친 이야기 2

시골에서는 어디서 시집왔냐에 따라서 태고를 붙여 주는데 어머니는 작천면 상당리에서 상당리로 시집 가게 되었는데 태고가 상당이 아니라 성동댁이 되었다.

그냥 아버님이 지어 줬다고 하는 말이 전해진다.

오히려 상당에서 기동으로 시집간 가장 미인 이모의 태고가 상당의 옛 이름인 당세기가 붙여져 당세기댁이되어 당세기떡이라 불렸다.

이렇게 치면 우리 집사람은

문경에서 태어나 초등 5학년에 남원 운봉으로 이사하여 살다가 서울로 시집왔으니 운봉댁 운봉떡이 되는 것이다.

어머닌 친정인 상당에서 상당의 우데미(윗마을. <->아래데미(아랫마을)로 시집가서 살았다고 한다.

거기서 누나(월님. 달처럼 예뻤다고 해서….)와 형이 죽고 다음 형을 낳고 나를 낳았다고 했다.

아버지도 상당이 본가였다.

상근이 아제 집 옆에 오두막집

할머니(윤가네)와 살다가 결혼했다고 한다.

나는 대밭으로 풍성한 집에서 태어났는데 기동이모가 받아 주었다고 전해진다.

외가도 본가도 다 상당(당세기)이었다.

아버진 대전 쪽에서 경찰 생활을 몇 년 했다고 전해지며 제주도로 떠나게 되었고 어머니는 어린 두 아들과 갑상샘 병으로 시골에 그냥 있으면 죽을 것으로 여기고 당시 6살의 형은 친정에다 맡기고 3살의 나를 업고 이불 하나 챙겨서 무작정 서울로 가야 살 수 있다고 출발하신 것이다.

주로 파출소나 관공서를 찾아갔고 해남에서 광주에서 밭일과 부엌일로 경비가 좀 모이면 서울을 향해 한 걸음씩 앞으로 나아갔다.

어릴 적 기억에 어머니가 밭일 나가면 나는 홀로 남겨져 많은 사람에게 여기저기 꼬집혔던 기억이 나곤 한다.

드디어 서울 청량리에 도착하여 바로 옆에 일세로 방을 얻어 살면서 행상을 시작하였고 시골에서 친정에 맡겨져 있던 형을 데리고 왔다.

캐나다 선교사님의 도움으로 갑상샘 수술을 성공적으로 마치고 병원의 일자리도 얻게 되어 살아갈 수가 있었다.

공덕동 이층집에 세를 얻어 살게 되었고 시골에서 학교도 못간 형은 10살이 돼서야 마포 공민학교에 입학할 수가 있었다.

나는 60년생인데 호적에 59년으로 되어있어 8살에 공덕국민학교에 다니게 되었다.

어머닌 병원의 잡다한 일들을 처리하고 늦게 들어

오시기가 다반사였다.

내가 초등학교 6학년 때 제주도의 아버지가 오셔서 다시 한 가족이 되었다.

내가 중학교 입학할 때 스마트 교복 입히시려고 무던 애를 쓰시던 어머니의 모습이 눈에 선하다.

두 아들을 키워내려 온갖 풍상을 온몸으로 막아내신 그 시대의 대부분 부모님의 모습이었다.

사우디아라비아에서 근무할 때 달마다 편지를 보내왔다.

일본에서 자라서 그러신지

맞춤법이 하나도 안 맞는 글이었지만 나는 다 알아먹을 수 있었다.

한 글자 한 글자를 눈물 없인 읽을 수 없는 글자들이었다.

결혼하고 우리 나눔이 주강이를 진관외동 꼭대기집 연탄창고 옆방에서 잘도 키워주신 어머니

삼일아파트에서도 아파트 앞 긴 의자에 앉아 조합일도 좀 도와주시고 암산도 잘하셔서 업무도 좀 도와주시다가 하나님의 부르심을 받았다.

십자가와 한정례집사라는 세로글씨를 남긴 채로….

살아남은 형과 나의 이야기

형은 강진군 작천면 상당에서 태어나서 6살 때 외 갓집에 맡겨졌다.

어린 나이에 졸지에 고아가 된 거나 마찬가지였다.

당시 시 집안 간 이모가 주로 키우다가 옆 동네인 기동으로 시집을 갔다.

큰집으로 외갓집으로 전전하다 시집간 이모 집까지 찾아오기도 했다.

이모는 밥을 먹여 돌려보내며 잘하고 있으라고 늘 다독여주었다.

서울 간 어머니께서 10살 다 되어서야 데리러 왔다.

국민학교 입학이 늦어져 마포공민학교에 들어가 마 포국민학교를 졸업하고

아현동 굴레방다리 쪽에 있는 한성중에 다녔다.

언젠가 도시락 잊고 안 가져간 날에 갖다 준 일로 한성중도 처음으로 가보았다.

형은 선린상고 야간반에 들어갔고 나는 동도중 3학 년이었다.

형은 상고니 조금만 고생하여 졸업 타면 가세가 살 아나지 않겠나 하고 내가 학교를 그만두는 게 낫다 싶어 그것을 실행하였다.

타자학원 강사로 있을 때 형의 아르바이트 자리를 소개해주었다.

숙대 건너편 쌍굴다리지나 미8군부대로 돌아 들어
가는 입구 왼편에 5층 건물이 있는데
그곳이 바로 통일 타자학원이었다.
거기서 청소도 하고 학원 일도 도와주다 학교에 가
게 된 것이다.
형 때문에 고교야구 결승전 같을 때면 모두가 한자
리에 모여 TV를 보며 환호하기도 했다.
특히 언더스로의 투수가 너무나 멋져 보여 많은 사
람의 사랑을 받았다.
형은 학교 졸업 후 군대로 포천 오가리 부근의 수
기사에 근무해서 진지를 구축하고 전차부대 어쩌고
저쩌구를 아버지 산소가 있는 쪽을 지나칠 때면 반
복되는 군대 얘기였다.
제대 후 집에서 빈둥거리고 있으면서 직장 잡으려
할 때, 나의 소개로 상공회의소 주최 주산. 부기.
타자 시험지 채점하는 요원에 들어가게 되었고 거
기서
일하다가 우연히 신협에 시험을 쳐보라는 소리를
듣고 신협에 입사하게 되었다.
동향인 형수님과 결혼하여 딸만 셋 낳았다.
빛나. 안나. 한나였다.
첫째는 캐나다로 유학 갔다가 만난 일본인과 결혼
하였고 둘째는 미국 유학 가서 결혼했고
셋째도 캐나다로 유학 갔다.

자녀가 다들 해외로 나가다 보니 가정에 문제가 생
겼다.
형은 마지막 장소인 연희동 신협을 정년퇴직하고
개신교로 온 것 같기도 하며
일산으로 양평으로 풍운아처럼
지내는 듯하다, 형수님도 해남 어딘가에 조용히 사
는 듯하다.
형 · 형수님.빛나.안나.한나..
명절 때마다 두 가족이 다 모여 예배드리고 까르르
웃고 떠들고 하던 날이 언제
다시 올 수 있을지 모르겠다.
그 날을 바라보면서…….

열등감을 자존감으로 승화시켜라

사람 중에는 조금이라도 자신보다 낮은 사람을 만나면 우쭐하여 자신을 과시하는 사람들도 있고, 자그마한 갑질의 위치라도 된다고 여겨지면
뭔가라도 행사하려 드는 사람들이 있다.
나는 서울동도중학 3년 중퇴를 한 것이 문교부 학력이라. 중학교 졸업하고 고등학교 졸업한 사람들이 늘 부러웠다.
특히 교련복을 입어보고 싶었다.
아무도 없을 때 선린상고 다니던 형의 교련복을 입고 나가 돌아 다녀본 적도 있다.
이 일로 학교 밖 청소년들을 이해할 수 있었고 그들과 소통하며 창의적인 배움을 많이 가지게 되었다.
적어도 학교에 다니고 안다니고로 사람을 대하지는 말아야 하겠다.
나는 전라남도 강진군 작천면에서 태어났다. 중학 중퇴 후 이곳저곳 공장으로 팔려 나갔을 때 전라도 깽깽이. 강진 갈가리 사건 등을 들먹이며 나를 괴롭혔다.
이 일로 인하여 지역에 대한 편견이 얼마나 안 좋은지를 깨닫게 되었고 경상도를 더욱 사랑하는 계기도 되었다.
구수한 사투리의 경상도 억양을 가지고 시골에서

올라와 타자 수업을 받던 학생이 어찌나 좋아 보였는지 모른다. 그 학생도 나를 너무나 좋아해서 이상한 소동(?)도 일어날 정도였다.

우리 집사람의 고향은 원래 경북 문경이다. 경상도 사람과 결혼한 것이다.

적어도 어느 지역이냐로 사람을 대하지는 말아야 하겠다.

초등학교 졸업장만 가지고 시골 강진에 갔더니 방위를 받으라고 했다. 국가의 부름이고 국방의 의무로 조건으로 방위를 받게 되었는데 많은 고초가 뒤따랐다.

방위병 주제에 하며 괄시를 하였다. 군인 취급도 안 해줬다. 기간병에게 이리저리 치였다.

사단 인사처리과 병적계에서 근무할 때 아무 이유 없이 윤 하사라는 사람이 지나가다 가슴을 세게 쳤다.

그저 방위라고 하는 것 때문이었다. 얼마나 숨이 턱하고 막혔는지 지금도 가슴에 손을 얹는 국기에 대한 맹세 같은 것을 할 땐 그때 맞은 충격이 트라우마로 남아 있다.

우리 교회 교인에게도 방위가 무슨 군인이었냐고 단정 지어버려서 몇 번을 얘기해서 결국 방위는 군인 맞네요라고 손을 들어(억지 론진 모르지만) 주었다.

군번 97048590 (절대 못 잊는 번호)가 있고 훈련병

이병을 지나 일병이라는 계급이 있고 복무기간이 있고 병과가 있고 군 필이라는 명예를 얻는 자랑스러운 이 땅의 군인이었다.

나는 특히 새벽에 신문을 돌리고 부대에 출근하고 태릉의 사단으로 출근하여 군 병적을 착실하게 적으며 훈련도 소화해냈다.

적어도 군 복무 행태의 모습으로만 사람을 대하지는 말아야 할 것이다.

요즘은 검정고시를 좀 알아주는 시대가 되었는데 예전에는 학교도 못 다니고 사고치고 검정 고시한 사람으로 무시하는 경향이 많았다.

신학교도 86학번이라 학력고사를 거치고 들어갔는데 문교부 정식 학사가 아닌 각종학교로 문교부 인정학교였다.

막연히 장신대와 총신대를 기대했었는데 그분께서는 나를 학력 인정되어 대학원 갈 수 있는 데까지 인도하셨다.

그것도 학비 부족으로 사우디 1년 하고 복학하여 42회로 졸업하였다.

대학원도 총신대학원 합신대학원이 어른거렸는데 안양대 신대원 21기로 졸업하게 되었다. 졸업시 3년 할 거냐 2년 할 거냐 선택권을 줬는데 학부 4년 하고 2년이면 되었지 또 1년 더해서 뭐하나 했다.

그 1년이 정식 3년 공부를 안 한 기록으로 남아 늘

더 이상의 공부를 못하게 되는 결과가 되었다.

독일. 미국으로 유학은 못 갔지만, 한국어 과정으로 그레이스 신학교에서 받아 주어 공부하게 되어 행복하다.

적어도 목회 선상에서 무슨 학교를 나왔느냐를 가지고 무조건 사람을 대하지는 말아야 하겠다.

전세 대출금으로 빌라 2층에 전세로 사는 것이 행복이다. 모두 빌린 것이지만 가족이 함께 사는 공간으로서 충분하다.

삼일아파트 안에 작은 방에서 어머니와 둘이서 살던 곳 진관외동 지하 연탄광 옆방에서 살던 곳 모두가 어렵지만, 행복한 공간들이었다.

적어도 사람이 어디서 살고 있느냐에 따라서 대하지는 말아야 할 것이다.

목회하면서 교회를 건축한 분도 있고 여전히 상가에서 힘들게 하시는 분도 있고 가정에서 하시는 분도 있고 마땅한 사역지가 없으신 분들도 있다. 힘들게 사역하시는 부교역자들도 있다.

모두가 하나님의 동역자들이다.

적어도 목회의 일로 나타난 결과로 사람을 대하지는 말아야 할 것이다.

우리가 모두 사람이다.

먼저 사람이 되어야 일도, 가정도, 사회생활도, 목회도 할 수 있다.

무슨 일을 하느냐?

무슨 차를 타느냐?

무슨 옷을 입었느냐?

어느 지역에 사느냐?

무슨 직장에 다니느냐?

무슨 장사를 하느냐? 등등으로

구별하며 사람을 대하지 말아야 할 것이다.

열등감을 자존감으로 승화시켜 당당하게 살아야 할 것이다.

조금이라도 못해 보이는 사람을 주인으로 알아 대해주는 사회를 위해 오늘도 그분의 발자취를 조심스럽게 따라가야 하겠다.

팔불출이야기

나의 아내는 장천사이다. 경북 문경에서 태어나서 초등학교 5학년 때 남원으로 이사를 오게되어 처갓집은 남원 운봉이 되었다.

나는 31살 우리 집사람은 28살 때 채천사 전도사님 소개로 파고다공원 앞에서 처음 만났다.

레스토랑에 가서 양식으로 돈가스 칼질을 하며 그렇게 우리의

첫 만남이 시작되었다.

당산동 소망교회에서 김학모 목사님의 주례로 결혼식을 하고 갈비탕을 먹었다.

신혼여행으로 정천사 전도사의 애인이었던 자매로부터 콘도이용권을 받아 용평리조트로 가게 되었다.

처음이자 마지막으로 스키를 딱 한 번 타 보았다.

아니 탄 게 아니라, 리프트에서 내리구르다시피 하여 내려온 것이 전부였다.

버스를 타고 동해안을 따라 내려가서 포항에 들러 한 시장에서 매운탕 끓일 수 있는 포장을 사서 끓여 먹고 부산을 지나 제주도로 돌아 김포공항으로 돌아왔다.

신혼여행 중에 당시 은평구청에 다니던 친구에게 300만 원에 해당하는 방을 하나 전세로 구해놓으라는 특명(?)을 내려놓고 돌아온 터라, 진관외동의 한

커다란 마당이 있는 근사한 집의 지하실 연탄 쟁여 놓는 연탄광 옆에 작은 방을 하나 구해놓았기에 무조건 300에 전세라는 말만 믿고 들어갔다.

그로부터 우리 집사람은 병원일(간호사)을 하기 시작하여 지금까지도 한 병원에서 일해오고 있다. 어머니는 위대하고 사모는 더 위대한 거 같다.

사역자의 모든 사모는 위대하다.

모든 사역자의 배우자도 위대하다.

우리 집사람이 교회 일이랴, 가정일이랴, 직장 일까지 가중되는 업무에 힘들어하는 모습을

지켜보면서 잘하고 있는 건지 늘 고민을 반복하면서 사역이 이어져 오고 있다.

교회에서 치이고, 직장에서 치이고, 가정에서 이래저래 속병을 하며 평생을 지내온 아내를 보면 늘 죄스럽고, 죄스럽다. 말로만 하는 사랑은 통하지 않는다. 희생 없는 사랑, 작은 보탬이라도 되지 않은 사랑은 허공을 가를 뿐이었다.

그래도 믿음 하나로 버텨낸 아내의 모습이 대견할 뿐이다.

딸 나눔이와 아들 주강이도 주의 보호하심은 물론, 우리 집사람의 경제적 뒷받침이 큰 힘이 되고 가정의 경제는 늘 책임져 왔기에 나는 나름 교회만 신경 쓰며 지금까지 버텨올 수 있었다.

2년여 동안의 목회 공백기의 그 힘든 시기에도 주

를 향한 믿음 하나로 버티고 또 버텨온 아내. 입이 10개 있어도 할 말이 없는 한 없이 부족한 사람이다.

지금도 한없이 부족한 못한 나를 위해 이것저것 챙기기 바쁘며,

늘 코칭과 단장으로 함께 해주는 부분에 어떨 때는 누님, 나아가

어머니의 손길과도 같다는 생각도 하기도 한다.

목회에 설교에 교회에 신경 쓸 수 있도록 뒤치다꺼리를 마다하지 않고

이것저것 챙기며 오늘도 출근하는 아내의 모습에 누가 되지 않도록 열심히 해야 하는 것이 또한 늘 부족한 사람의 숙제같이 남아 있다.

딸, 아들도 꾸김살 없이 잘 자라줘서 너무나 감사할 따름이다.

번번한 학원 하나 못 보내고도 대학을 다 졸업할 수 있어서 다행인데

학자금은 오랫동안 갚아야 하고, 생활비까지 갖다 쓰게 되니 가정의 빚은 늘어만 간 게 또한 사실이다.

그런데도 나는 큰소리만 친다. 양평에도 집이 있고 (200만 원 주고 지상권만 있는데, 그마저도 형이 리모델링하면서 그 소유권마저도 넘어간 듯한 상태) 지금 사는 전세 6,000만 원(전세대출 4200만 원)도 있지 않냐고 하면서 힘주어 말하는데, 빚진 것을 갚기에도 부족한 것이 사실이다

실상은 아무것도 없는 무소유 정도의 모습일지도 모른다. 하지만 돈에 욕심내지 아니하고 목회와 가르치는 사역만을 지속해서 해오면서 많은 빚을 우리 집사람이 다 떠안고 가고 있다.

아내의 빚은 모두 내가 다 진 빚이라 생각하면 된다. 퇴직금도 미리 당겨서 거의 다 갖다 써서 교회와 목회 그리고 내가 공부하는 데에 모두가 쓰였다.

물질에 어려움이 있지만 모든 것을 견뎌 내주고, 지금까지도 기도와 후원으로 우뚝 서 있는 아내의 모습을 바라볼 때는 늘 안타까운 마음을 금할 길이 없다.

자녀들도 자기 자신들이 가정에서의 지원이 어려운 것을 일찍이 깨달았는지

아르바이트와 워킹홀리로 일하면서 공부하는 돌파구들을 찾아 나서며 오히려 부모들의

부족한 물질을 채워지고 있는 형국이다.

모두가 하나님의 은혜로 채워져 있음을 고백할 수밖에 없다.

모두가 주님의 보살펴주심의 은혜였음을 다시 한번 고백하며,

이제 남은 시간 속에서 아내에게 최대한 잘하는 것이고, 아내의 빚을 모두 갚는 것이 숙제로 남아 있다. 이 일에도 주님께서 분명한 인도 하심이 있을 것을 믿으며 오늘과 내일을 똑바로 살아야 하겠다.

(1990년도에 아내에게 쓴 편지를 소개합니다.)

선희 씨를 그려보면서

어제 오후엔 서산 너머로 기울어 가는 붉은 태양과
수북이 쌓인 낙엽과 잘 조화를 이룬 잠실역 주변을
걷게 되는 일과
낭만이 어우러지는 좋은 시간이 주어졌다.
오랜만의 여유였는지 모른다.
숱한 사람들이 자기의 갈 길이 바쁘고
주어진 삶에 열중하노라면, 자기 주변에 돌아가는
일들보다는
자기의 모든 일에 파묻혀 잊고 사는 것이 우리네
삶이 아닌가?
하나님의 사람으로 살기는 원하지만, 우리의 부족
한 심성들이 주님께 불경건하여 삶에 불충실하며
주님과의 관계가 부족함을 늘 느끼며,
이 수북이 쌓인 낙엽도 자기의 충실한 일에 열중하
고 있음을 스쳐 가는 바람과 함께 느껴보면서, 이
절기에 우리는 아니 나는 주님께 무엇을
내놓을 것인가에 문득 귀를 기울여 본다.
선희 씨는 올가을에 풍성한 열매를 드릴 수 있는
좋은 절기라 생각되는지요….
부족한 종 坤은 연약하여서 늘 부족함을 느끼며 살

아가고 있다오.

마치 혼자서는 이루지 못할 사연을…. 선희 씨와의 귀한 만남을 주시고

주님 주신 힘으로 동역자로서 함께 사랑하며 나누며 풍성히 전해줄 날을 준비하는 귀한 삶을 살고 싶은 소박한 심정이 가슴을 막아오는 듯합니다.

선희 씨와의 만남을 주신 하나님께 감사드립니다.

선희 씨, 불러보아도 불러보고 싶은 이름이 아닌가?

우리 주위엔 숱한 어려움이 있어요.

물질의 어려움도,

귀하고 분위기 있는 삶도 없을지도 모르고

한껏 여유 있는 삶을 못살 수도 있으며,

개인의 자유를 누리며 살 자유도 억압받으며 살 수도 있으며,

문화나 지역이나 숱한 난제가 우리를 억누르며 조여올 수도 있으리라고 봅니다.

그러나 주님 안에서 그러한 모든 환경을 억지로 참고 견디며

신앙생활을 영위해 나아가는 것에서 그치지 아니하며 오히려 주님과 함께 당하는 고난으로 인하여 참으로 기쁘고

참 평안으로 모든 삶을 승리의 삶으로 인도하시는 주님과 함께 기쁨으로 감당할 수 있으리라 확신해 봅니다.

선희 씨. 요번 주 못 보더라도 목소리라도 듣고 싶은 마음으로 서로를 위해 기도하며 훗날의 고난을 위해 기도드려요.

고난을 없게 해 달라는 기도가 아닌

감당할 힘을 주옵소서! 라는 기도를….

선희 씨, 불러보고 싶었어요.

불러보고, 보고 싶고, 그렇고 그런 삶이 우리네 삶의 사랑하며, 살아가는 삶인가 봅니다.

사랑하고 싶은 마음으로 우리 주변도 사랑하며,

좋게 보며 살아갑시다.

주님께서 반드시 함께해주심을 확신하며….

이 시간 주님께 선희 씨와의 귀한 만남을

주님과 귀한 사명 감당하는 모습으로 승화시켜 달라는 시도를 주님께 드립니다.

보고 싶은 선희 씨. 사랑이란 조심스러운 말을 감히 하고 싶군요.

사랑해요. 선희 씨.

10월을 보내면서….

1990. 10. 30. 이용곤 쓰다.

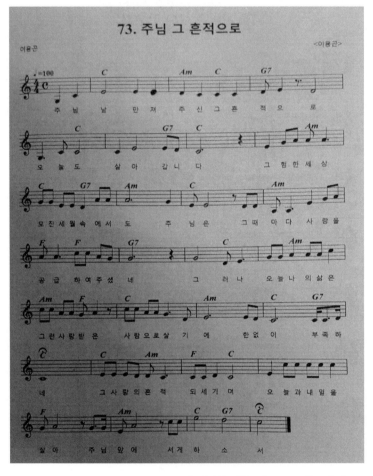

자작곡 주님 그 흔적으로

Part 3

코로나 19 아침 묵상

마을 이야기

양평 지평리 월산리 이야기

양평이란 곳을 향하여 가는 길은 외로운 길이었으나 북한강의 물보라와 크고 작은 산들이 벗이 되어 주었다.
향한 곳은 월파라고 하는 곳에 작은 시골집이었다.
거의 폐가 직전의 집이 하나 있었다.
지상권만 간단하게 종이 한 장으로 계약하고 들어선 방안엔 커다란 고양이가 죽은 채로 누워있었다.
실눈을 뜬 채로 마치 나에게 어디서 무엇을 하다 왔느냐며 묻는 듯하였다.
거미줄은 온 집에 처져 있었고
온통 쓰레기 더미로 장식된 방들과 부엌이 전부인 집이었다.
마당에는 조형예술의 선구자 백남준 씨의 작품 다다익선처럼 티브이 세트가 겹겹이 쌓여 있었고
어디서 모여들었는지 모를 각종 폐전자제품들로 가득하였다.
어디서부터 손을 써야 할지를 몰라 일단 방을 쓸어내리고 앞마당의 티브이 세트는 뒷마당으로 하나하나 옮기기 시작했다.
치우는 것이 이토록 정신치유와 건강에 좋은지를 그때 깨달았다.
조금만 치워도 그 부분은 깨끗해진 것이기 때문이고

조금만 움직여도 운동이 되니 밥맛이 났던 거였다.

서울에서 양평으로 가는 기차를 수십 번 타면서 많은 것을 보며 느끼며 살게 되었다.

특히 그 전철 안에서 8구조원리영어의 많은 부분을 구상할 기회가 되었다.

원리를 풀어 스토리를 다듬고 구조화시키고 정리하고 나면,

그것 또한 어떤 일에 집중하게 되면,

또 다른 아픔이나 고통을 잊고 사는 데 큰 도움이 된다는 것을 깨닫게 되는 시점이었다.

동네 어르신들과 마을회관에 박카스를 돌리면서 존재감을 알렸고 마을의 몇몇 어린이들에게 올 때마다 재밌는 영어로 친해지기도 했다.

동네 어린이들과 자전거로 멀리 한 바퀴 돌아오면서 자연산 민들레를 맘껏 보며 캐보는 기쁨도 동네 어린이들이 가르쳐준 덕이었다.

그럭저럭 쉴만한 공간 정도는 되었지만, 여전히 초라한 폐가의 모습은 그대로였다.

신협을 다니던 형님이 언제가 함께 가자 하여 보여주었더니

리모델링하여 좀 살 수 있는 공간으로 만들어 보자고 제안하여 오늘날의 모습으로 자리 잡았다.

안에는 목조로 꾸몄고 지붕도 강판으로 올렸지만, 겉모습은 옛 시골집 골격 그대로 유지하며 리모델

링하여 엉성한 집이 되고 말았다.

그래도 어려울 때 함께한 친구처럼 양평의 이 작은 집은 소중한 친구가 되었다.

정자도 세우고 텃밭도 가꾸고, 커다란 은행나무와 작은 소나무, 하얀 꽃을 피운 참깨와 상추와 가지가 맘껏 기지개를 켜는 곳이 되었다.

이곳은 이제 가끔 만나는 친구처럼

금천생명수교회의 치유공간으로 그 넉넉한 품을 가지고 우리를 기다리고 있다.

청계천 8가 이야기

청계천 8가는 결혼하기 전까지 어머니와 둘이서 오랜 기간 살았던 곳이다.

오래된 아파트로 삼일아파트 23동 그야말로 끄트머리에 자리 잡은 곳이었다.

당시에 8가 쪽 삼일아파트는 냉동기 수리. 판매점과 재봉틀 수리·판매점이 즐비하였고 아파트 집안에서도 여러 대의 재봉틀이 돌아가기도 했다.

지금은 동묘 쪽으로 가 있는 도깨비 시장(벼룩시장)이 전에는 이 8가에서 7가로 이어지는 도로에 펼쳐지고 있었다.

그야말로 팔지 않는 것이 없을 정도로 다양한 물품이 길거리에 펼쳐져서 주인을 기다리는 넉넉한 장마당이다.

명절 때도 다른 데는 다 문 닫아도

명절날 오전만 지나면 하나둘씩

장이 서서 지루하지 않은 멋진 동네였다.

작은 평수의 삼일아파트 입구에 작은 방 하나를 세 얻어 사는데 화장실도 부엌도 주인집과 같이 쓰는 집이라 항상 문을 배꼼. 열고 부엌에 누가 있는가를 알아보고 살아야 하는 눈치작전의 대가가 되는 집이었다.

신학교 4년 때 맨 앞에서 공부하는데 나와 나이가

딱 맞은 자매라며 맨 뒤에서부터 올라오더니 결국 나에게까지 올라오게 되어 탑골공원 정문 앞에서 첫 만남을 갖고 3달 정도 지난 후 삼일아파트의 어머니께 소개하려고 초대했다.

둘이서 겨우 잘 수 있는 방에 살림이라고는 별로 없는 가난한 신학생이었는데 오직 믿음으로 결혼에 골인할 수 있었다.

결혼 전에 집사람은 사랑제일교회 청년회에 다니고 있었다.

답십리의 사랑제일교회는 오직 예수만 외치고 민족 구원 성령의 나타나심 등으로 뜨거웠다.

강대상 앞으로 나아가 성령 춤을 출정도로 뜨거웠었다.

간호사로 사우디아라비아도 3년 근무했었는데 정확히 그 중간의 1년을 내가 다녀온 것이었다.

결혼식은 당산동의 소망교회에서 했는데

김학모 목사님께서 말씀해 주시고 전광훈 목사님이 기도해 주셨는데

지금은 나가도 너무 나가 있어서 안타까운 마음 금할 수 없다.

예전의 순수하고 오직 예수만 외칠 때가 한없이 그리울 뿐이다.

청계천8가의 재건축 추진으로 어머니께서는 밖에 긴 의자에 앉아 시위 아닌 시위를 함으로 말미암아

나중에 보니 청계8가에서는 유명인이 되어있었다.

청계8가 바로 옆에 중앙시장 입구 포장마차에서 파는 소주 부어 만들어 주는 곱창을 좋아하시던 어머니 덕에 돈이 조금이라도 생길라치면 따뜻한 곱창 볶음 담은 검정비닐을 거머쥔 손이 얼마나 행복한 시간이었는지 모르겠다.

청계8가에서 교회는 멀리 망원제일까지 다녔다.

라사라복장학원앞에서 내려 걸어가는 기쁨도 그때 누려본 행복한 걸음이었다.

시간이 흘러 청계8가 23동 부근은 재건축되어 롯데캐슬이 들어섰고 아래는 맑은 청계천이 흐르는 멋진 동네로 바뀌었다.

형님 집이 그 롯데캐슬을 사서 입주한다 하여 가봤더니 으리으리했다. 엘리베이터로 바로 지하로 내려가니 이마트가 있었다.

아직도 건너편 몇 개의 동은 삼일아파트 모습을 간직한 채 뒷골목엔 냉동기 돌아가는 소리와 옛날 물건 사고팔면서 흥정하는 소리가 정겹게 들려오고 있다.

상계4동 이야기

상계동 꼭대기에 살았던 때가 있었다.

성현교회가 최고봉에 우뚝 서 있었다.

언덕 맨 아래 공동우물이 있어서 10원을 내고 물지게로 어깨에 메고 올라야만 했다.

바가지를 물통에 담가 출렁이는 물의 균형을 잡고 박자를 맞춰 조금이라도 흘리지 않고 오르는 게 관건이었다.

이렇게 해서 얻은 물이니 깨끗한 용도의 물로부터 더러운 용도의 물까지 다 쓰고 마지막 버리기 직전도 쓸어내리면서 쏟아져서 마지막 소임을 다하는 물이 되었다.

어머니께서 명절에 신으라고 검은색 스파이크를 깨끗이 씻어 밖에 말려 놓았는데 누군가가 가져가 버렸다.

신어보지도 못한 스파이크가 지금도 비슷한 종류의 운동화를 만날라치면 빙그레 웃음이 난다.

당시 다니던 교회는 상계동 10번 종점 근처에 있는 '서울교회'라는 곳이었는데

이 교회의 특징이 주보가 없다는 것이고 설교시간이 2시간 가까이 된다는 것이었다.

나는 성가대에서 섬기며 말씀을 듣는데 언제 2시간이 지나갔는지 모를 정도였고 주보에 얽매이지 않

고 자연스러운 흐름의 예배가 너무 좋았었다.

동대문 이스턴 호텔 부근에서 상계동행 버스를 타면 대부분이 상계동 종점까지 가는 분들이라 타자마자 눈을 붙이고 있는 게 상식처럼 되어버린 모습이었다.

이러한 버스에 당시 운전석 옆에 넓은 엔진 뚜껑 위에 앉아 가면 어찌나 따뜻하고 정겨운지 모른다.

구수한 기사분의 입담은 덤으로 들으며 발목까지 걷어 올린 바지 차림과 목에는 수건으로 감싸고 있는 모습은 언제나 반가운 모습이었다.

어느 날은 그 자리마저 없어 어느 노인 앞에 서서 영락없이 종점까지 가게 되었는데

얼마 못 가 다리에 힘이 풀려 무릎이 탁 꺾이면서 깜짝 놀라는 동작을 두어 번 하고 나니 앉으셨던 노인분이 일어나 얼마나 피곤하면 그럴까 하면서 자리를 양보하는 것이 아닌가?

한사코 뿌리쳤지만 밀어 넣다시피 하여 앉혀져서 어느 정도 가다 바꾸었다.

정도 많고 사람 냄새 물씬 나는 공간들…….

예배가 회복이고….

사람을 사랑함이 복이고

그분과 이웃과 나누며 살아감이

행복인 것을 그때 참 많이도 깨달았다.

삶에서 만난 산사이야기

월출산의 북쪽은 영암이고, 남쪽은 강진이다.

강진 쪽으로 무위사가 있고, 남쪽으로 더 내려가면 다산초당이 있는 만덕산이 나오는데 거기에는 백련사가 자리 잡고 있다.

강진만을 고즈넉이 내려다볼 수 있는 남도의 작은 산이 만덕산이 아닐까 싶다.

남도에 가는 길이 있으면 월출산의 금릉 경포대에 들러 시름을 잊고 주님 만드신 세상에서의 자유로움을 느껴보는 것도 좋을 것 같다.

망원제일교회 야학에서 공부할 때 남상희 선생님이라고 계셨다.

영어를 가르쳐 주셨는데, 타이어드라는 피곤함을 타이어에 비교하여 대답할 때 엄청 칭찬해 주신 일로 지금의 영어를 잘하게 되는 계기가 된 건 아닐까(?) 칭찬은 고래가 아닌 나를 춤추게 만든 것 같았다.

또 한 분 고승철 선생님이 계셨는데, 교회에 작은 불이 났다.

선생님은 침착하게 모두 밖에 흙을 한 줌씩 담아와서 뿌려달라고 하셨다.

모두 하나 되어 계속 던져지는 흙으로 말미암아 작은 불은 쉽게 가라앉을 수 있었다. 이 선생님의 주도로 수학여행을 가게 되었는데 장소는 수덕사였다. 웬 교회에서 절로 여행을 가나 했는데, 알고 보니 수덕산으로 가는 것이었다. 비구니의 절인 수덕사를 거쳐 정상에 도착했을 때 넓은 장소가 펼쳐졌다. 친구야. 아무개야. 소리를 지르니 메아리가 그렇게 잘 들려오는 산은 그때 처음 만났다.

누군가의 소리에 귀 기울여 주고 들어주는 사람만 있어도 살기 좋은 세상이라는 것을 그때 깨달은 것은 너무나 다행한 일이었다.

삶의 단순한 이야기를 들어주고 함께해주고 나누는 작은 일들이 인생이고 삶이라는 사실을 일깨워 준 수덕산이었다.

가내공업에 다닐 때 야외 소풍을 떠나기로 했다. 경남관광 버스를 타고 모두가 승차하여 들뜬 마음으로 출발한 곳의 목적지가 다름 아닌 속리산의 법주사였다.

보은 속리 정이품송을 지나 속리산 법주사에 도착했다. 커다란 불상이 서 있는 주변에서 도시락을 까먹고 모두가 도란도란 앉아 이야기꽃을 피우고 더는 한 발짝도 나아가지 아니하고 돌아온 것이 속리산과 법주사의 기억 전부다.

경주 불국사는 많은 학생이 수학 여행지로 잘 알려진 곳이어서 나는 홀로 가보기로 하고 경주행 열차에 몸을 실었다. 유명관광지답게 많은 숙박업소와

기념품 가게들이 즐비하게 서 있었다.

하룻밤을 청하고 다음 날 일찍이 토함산에 올랐다.

불국사의 경내에 싸리비로 쓸어놓은 빗질 흔적의 마당 앞으로 불그스레한 해가 떠올라 비추고 있었다.

토함산에서 바라다보는 산사는 그렇게 하루가 시작한다는 것을 보여 주고 있었다.

수많은 사람이 오르내리던 길에 홀로 걸어가 보는 기분을 느껴보니 가슴이 벅차올랐다.

돌들이 아기자기하게 박혀있는 길들을 내려올 때는 저절로 발바닥 지압이 되는 듯하였다.

내친김에 경주 남산에 들렀다. 포석정의 술잔이 흘러가는 작은 장소를 만났을 때 신라의 패망의 한 장소이며 당시 과학기술이 만들어낸 걸작의 포석정을 보는 소회가 남달랐다.

석모도를 배 타고 갈 때 가파른 길을 올라 보문사를 지난 적이 있다. 기왓장 한 장 한 장에 이름들을 빼곡히 적어 쌓아놓은 기왓장 무더기가 나를 압도하듯이 바라보고 있었다.

한참을 올라가면 커다란 바위에 100여 년 전에 새겨 놓은 불상이 자리 잡고 있었다.

그곳에서 바다 쪽을 향하여 바라보고 있으면

모든 것이 고요하게 느껴지면서, 살랑살랑한 바람한 점이 뺨을 스쳐 가며 많은 것을 생각할 수있도록 도와주었다.

서울 도심에서는 조계사와 봉은사가 큰 절인 데, 데모하다가도 조계사나 명동성당에 가면 된다는 좋은 장소임이 틀림없는 것 같다.

코엑스역이 안되고 봉은사역으로 자리 잡은 봉은사 절의 뒤편 왕래 길에서 만난 커다란 나무는 언제나 도심에서의 넉넉함을 보여 주는 동산인 거 같다.

시흥2동의 집에서 출발하여 관악산에 오른 적이 있었다. 호암산을 거쳐 서울대 입구 쪽으로 내려가다 다시 오르는 코스였다. 올 때는 이쪽으로 오지 않고 과천, 안양 쪽의 8봉우리를 모두 돌아 삼성산으로 거쳐 돌아오는 길을 택하여 나아갔다.

어느새 날이 저물어 어두컴컴해졌다. 앞이 보이지 않기 시작했다. 마음이 불안 해왔다. 무조건 산길로 보이는 길만 따라 한참을 내려왔다. 멀리서 불빛이 비친다.

익숙한 길 호압사의 불빛이었다. 호압사는 시흥동 독산동 사람들의 등산코스의 기본이라고 할 수 있는 장소이다.

산에는 여러 가지가 있다. 그중에 하나는 지나칠 수 없이 만나야 할 산사도 있다. 그 안에 많은 사람도 있다. 그분들이 만나야 할 그분을 만날 수 있는 날이 있기를 기대하며 오늘도 산사를 지나친다.

서울 금천구 마을공동체 이야기

내가 마을에 첫 발을 내디딘 것은 구청 평생학습관에서 구민기자교실이 진행되었을 때 수강생으로 참여한 것이었다. 훌륭한 선생님을 모시고 마음이 따뜻한 마을 사람들을 만난 것이 계기가 되어, 마을 활동에 본격 뛰어들게 되었다.

구청에서 매월 발행하는 소식지의 구민기자 활동을 하게 되면서 마을의 여기저기를 살펴볼 좋은 기회가 되었다.

처음에는 어려운 이웃을 좀 더 쉽게 다가가서 만날 수 있겠거니 생각했는데, 의외로 쉽지 않았다. 발품을 팔아 사람들을 만나러 다가가야만 했다.

먼저, 평생학습 동아리로, 금천 영어독서캠프를 만들어 영어독서모임을 통한 마을 교육에 힘을 쏟았다. 구청 평생학습관 지원으로 도서와 간식비를 지원받아 마을 사람들에게 다가갈 수 있었고 좋은 프로그램도 열 수 있었다.

실력 있는 영어 강사분들을 모셔서 특강도 하니 호응도 좋았다.

영어독서를 통해 금천의 마을 교육에 앞장서며 마을의 지역아동센터에서 영어독서로 섬길 기회도 생겼다.

마을리더자교육과 자원봉사센터 리더자 교육 등을

통해 다져진 교육이 마을지기교육으로 이어져서 염리동의 소금마을, 연남동 푸른마을, 수원의 르네상스 벽화마을, 성북동 장수마을, 마포 성미산마을, 우이동 삼각산 재미난 마을 등을 탐방하면서
마을의 이해를 넓혀 나갈 수 있었다.

금천구 마을공동체에서 배운 마을활동가로 특히 시흥1동의 마을지기들이 교육 후 그냥 흩어지는 것이 아니라, 뭔가 마을에서 일을 해보자고 만든 것이 '금빛찬란'이다.

마을의 크고 작은 일에 앞장서서 일하시는 탁 대장님이 계셔서 일을 수월하게 진행될 수 있었다. 청소과 사업으로 마을 쓰레기 문제 환경문제에 깊은 관심을 가지고 계몽 활동과 회원의 교육을 위해 열심히 환경공부를 하고 있다.

자원봉사센터의 일원으로 금천구의 작은 부분이라도 담당하며 나아가는
회원들의 모습은 언제나 한결같았다.

자원봉사가 몸에 밴 사람들의 모습 그 자체였다.

다음으로는 금천 징검다리마을방송국을 만들어 영상 쪽의 마을 일을 추진하게 되었다. 대표분이 멀리 이사 가는 바람에 총무였던 내가 일을 맡아 진행하게 되었다.

서울시청자미디어센터의 교육을 3회 진행하면서 마을 사람들이 영상으로 작은 작품이라도 만들 수 있

는 단계에 이른 것이다.

마을의 크고 작은 행사의 영상을 만들어 나눌 때 큰 보람으로 다가왔다.

교육을 받은 사람들이 지속해서 성장하여 마을 사람들이 영상을 만들어 보이기도 하고 마을 사람들을 교육할 수 있는 단계로까지 성장하였다.

금천징검다리마을방송국에서는 분기별로 마을 영상 교육을 감당하고 있으며

유튜브를 통해 마을 소식을 전하고 있다.

부족하지만 현재 금천구 마을공동체 운영위원과 금천구 마을공동체 위원장으로 그 역할을 감당하고 있다. 금천구의 마을공체와 함께 순수한 마을 사람들과 함께 마을을 이야기하고, 마을을 영상으로 담아 알리고, 마을을 더욱 행복하고 멋진 사람들로 가득한 곳으로 가꾸는 일에 자그마한 힘이라도 보태고자 오늘도 마을 일에 힘을 쏟고 있다.

마을 목회란 무엇인가?

그 답은 여러 가지가 될 수 있다. 마을에 교회가 존재함으로도 그 중요한 역할이 있을 것이고, 나아가 마을에 화장실이라도 개방하여 도움을 주며, 마을 사람들이 지나가다 차 한 잔 할 수 있는 교회, 마을 사람들이 모여 회의할 수 있는 교회, 마을문화에 관심을 가지고, 어려운 이웃에 관심을 가지고, 뭔가 소통하는 교회로서의 모습을 갖추려고 노력하

는 교회가 될 때 마을 목회라는 단어가 조금 쓸 수 있지 않을까? 라고 생각해 본다.

마을의 한복판에 있는 교회들이 마을 속에서 자연스럽게 마을 사람들과 함께하며 나아가는 아름다운 마을 목회, 마을공동체가 되었으면 한다.

금천생명수교회 옆 전통시장인 현대시장이야기

교회 옆에 세 발짝만 나가면(?) 전통시장인 현대시장
을 만날 수 있다. 나에겐 나무나 소중한 공간이다.
책을 읽다 글을 쓰다 설교준비하다 잠깐 틈이라도
나게 되면 시장 한 바퀴 돌고 오면
너무나 상쾌해지는 것을 알 수 있다.
날마다 가는 시장길이지만
늘 새롭고 시간마다 새로운 게 시장길이다.
어릴 적 어머니 손 잡고 뭔가라도 사주지 않을까
하는 마음으로 늘 따라다녔던 전통시장이다.
공덕초등학교 옆의 공덕시장 안에 검고 딱딱하고
울퉁불퉁한 흙길이 시장 통로 길로 기억된다.
어묵을 사게 되면 바로 그 자리에서 한 입 베어 물
던 그 맛은 잊을 수가 없다.
긴 나무 의자에 앉아 잔치국수와 팥죽은 또 어찌
그리 맛있었는지 모른다.
초등학교 교실에서는 가끔 닭똥을 태우는 냄새가
코를 찔러 수업하기 어려울 정도였다.
삼일아파트 살 때 왕십리 중앙시장의 가운데 통로
음식가게들은 맛난 음식으로 가득했고 특히 중앙시
장에서 청계8가로 오는 길엔 깻잎 많이 넣고 갖은
양념과 소주 부어 만든 곱창은 어머니께 사다 드리
는 주메뉴였다.

청계8가로부터 쭉 펼쳐진 도깨비 시장은 명절에도
열만큼 친숙하고도 다정한 친구와도 같은 시장이다.
방산시장의 녹두 부침개. 모래내시장의 떡볶이. 신
월동 신곡 시장의 정겨움. 인천 남동구 간석동의
간석시장 떡집. 양평 용문의 시골 장터, 성남 모란
시장 등도 모두가 정겹고 행복한 시장들이다.
오늘 그 시장들을 모두 이곳 현대시장에 모아 놓은
듯 길고 긴 시장이 바로 교회 옆 현대시장이다.
시장엔 김이 올라온다. 막 쪄낸 찐빵과 각종 떡과
족발과 닭발에서 올라오는 김은 일품이다.
교회에서 나와 우측 시장가는 길에 더덕 파시는 권
사님과 시의원하신 안경점을 지나 바로 만나는 권
사님의 옷가게가 보이면서 현대시장은 그렇게 시작
된다.
오래된 추어탕 식당을 지나 청년 정육점을 만난다.
늘 반갑게 인사하며 전에 해준 말인 "교회 행사에
조금이라도 보탬이 되게 하겠다."라는 말이 쩌렁
쩌렁 들리는 듯하다.
머리 찧을지 모르니 조심하라는 문구를 만나야 들
어갈 수 있는 홍어 무침 집을 지나 팥 도넛과 찐빵
만두가 곱게 차려진 인심 좋으신 자매가 늘 가벼이
인사를 한다.
3,500원 칼국숫집을 지나 5,000원 뼈 해장국집을 지
나 멸치 종류를 하염없이 쌓아두신 곳에 앉아계신

두 부부가 열심히 장사하신다. 남편분은 제가 지날 때마다 깍듯이 인사해서 몸 둘 바를 모를 때가 많다. 바로 그 앞에 요구르트 자매님은 집사님 따님으로 열심히 사시는 아이콘 같은 분이 늘 밝은 얼굴로 인사한다.

좋은 과일 팔고 일찍 문 닫는 과일가게와 언제나 손님이 연결되는 듯한 생선가게들….

해마다 이웃을 위해 쌀을 기증하시는 서민 사장님이 운영하시는 슈퍼를 지나 오랫동안 중국집을 운영해 오신 인심 좋은 마을 사장님.

교회 떡을 맡아서 해주시는 포근한 떡을 덤으로 항상 주시고 세제 미 공원 어르신들 갖다 드릴 거라 했더니 너무나도 푸짐하게 얹어주신 행복한 떡집이다.

명절엔 발 디딜 틈도 없는 시장 특히 전을 파는 집은 꼬리에 꼬리를 물고 길게 늘어서 있는

넉넉한 풍경을 자아내기도 한다.

시장 끝에서 만나는 김밥천국 집은 내가 자주 가는 식당이다. 여사장님은 한결같은 미소로 반가이 맞아주시고 안 바쁠 땐 과일이며 커피까지 타 주시기도 해서 부담도 가지만 너무나 사람 사는 냄새 가득한 곳이다.

골목길에 내놓은 물건을 다 팔아도 얼마 되지 않을 것 같은 데, 온종일 파시는 할머니와 시골에서 직접 캐왔다고 가끔 들리시는 더덕 아저씨, 돼지껍질

커다란 양푼 한가득하여 맛보기로 주시는 분, 각종 김치를 종류별로 만들어 파시는 솜씨 좋은 분, 중국식 상회가 한두 개 늘어가며 한중교회도 있는 시장, 모두가 정겨운 우리의 이웃들이다.

오늘도 현대시장 길을 걷는다.

회갑기념 선물 어디에나 길은 있다

Part 4

코로나 19 아침 묵상

공부 이야기

창살 밖 달님을 보니

달과의 대화는 깊은 정이 있어 보인다.

청소년 시기 청계천 8가 삼일아파트에서 망원제일 교회까지 다닌 적이 있다.

늦은 밤까지 연극 연습하고 막차 버스에 올라 집으로 돌아오곤 했다.

그 날도 막차 타고 오는데 깜박 잠이 들었나 보다 흔들어 깨우는 소리에 눈을 떠 보니 휘경동 종점이었다.

서둘러 청계8가를 향하는데 청량리를 지날 수밖에 없었다.

그때는 저녁 12시 넘으면 붙잡히는 통금이 있을 때였다.

게다가 청소년 특별단속기간이라 하여 대대적인 단속을 하였다.

딱 걸리게 된 거였다.

나는 청량리를 지나 조금만 가면 집이니 보내 달라 했지만, 어디선가 왔는지 요즘으로 치면 1.5톤 냉동 탑차 같은 것이 도착하여 나를 그 안으로 사정없이 밀어 넣었다.

그 안에는 내 또래의 청소년들이 우글거렸고

문을 차며 난동도 부리는 친구도 있었으나 굳게 닫힌 문은 열리지 않았고 덜컹 문이 열린 곳은 청량리경찰서 유치장 앞이었다.

창살 많은 한쪽의 공간에 던져졌다.

조금 떨릴 뿐 무섭진 않았다.

왜냐하면, 대부분 다음 날 아침이면 훈방조치가 뻔했기 때문이었다.

변기통 하나가 바로 보이고 창살 가득한 공간에 남자들만 득실거렸고 굵은 톤의 소리가 울려 퍼졌다.

옆방은 여자들의 소리가 앙칼지게 들려왔다.

한 형님쯤 되는 분이 옆에서 뭔가 크게 잘못되어 들어 왔는지 벌벌 떨고 있었다.

다 막힌 공간에 작은 창살 사이로 유난히도 밝은 달이 미소 지으며 나를 쳐다보고 있었다.

큰 위안이 되어 준 고마운 창살 밖 달님이었다.

불안해하는 형님뻘 되는 이에게 뭔가 전해주고 싶었다.

다름 아닌 예수님의 평안이었다.

당시 읽고 있었던 "가상7언"이란 책이 가방에 있었다.

그 책을 꺼내 들어 건넸다.

시간 될 때 꼭 읽어 보라고….

다음 날 아침 땡땡 부른 라면을 한 국자씩 퍼주고는 한 사람씩 불러 조사했다.

청량리경찰서 정문을 통과 나오면서 큰 호흡이 얼마나 상쾌했는지 모른다.

그날 밤 창살 밖의 달님이 오늘 교회 창살 밖의 달
님으로 환하게 웃어 주었다.
가상7언을 해주신 주님의 음성이 잔잔히 들려온다.

이면수 벽화

서울 마포구 공덕동 효창공원 57번 종점 근처에 살
때에 동도중학교에 입학하게 되었다.
어머니께서는 없는 형편에도 중학교 가서 기죽으면
안 된다며 스마트 교복을 맞춰주셨고
그 과정에서 입학식 날 지각하게 되어 번호가 70번
이 되었다.
내 앞으로 69명이 있게 된 거고
키 큰 친구들이 내 앞을 가린 상태에서
수업을 할 수밖에 없는 상황이 되었다.
다행인 것은 짝꿍이 69번이었다.
키도 크고 공부도 잘하는 친구였다.
당시 나는 아버지에게서 한문만 죽어라 배웠다.
형과 함께 저녁에 20개의 한문을 반드시 외워야만
할 정도로 엄격하던 시간이었다.
중1 때의 한문 시간에 1학년 교과서는 너무 쉬워 3
학년 책을 보고 있었다.
한문 하나 만큼은 반에서 탑이겠지하고 우쭐하고
옆의 반장 짝꿍을 바라보니 아뿔싸 이 친구는 전
과목을 3학생 교과서를 보고 있는 게 아닌가?
전교에서 1, 2등을 다투는 이유를 그제야 알 것 같
았다.
가정 형편상 3학년을 못 올라가는 상황인데 담임인

황선일 선생님의 배려로 겨우 올라갈 수 있었다.

그러나 거기까지였다.

중3 물상 샘인 유기성 선생님이 담임이 되었는데 교장 선생님께 쪼이는지 날마다 납부금 재촉에다가 집으로 돌려보내기 일쑤였다.

중 3년 3월 26일 학교를 그만둔 날이었다.

마침 옆집의 기름장사 할머니가 살고 있었는데 시기적절하게 작은 공장에서 사람을 구한다고 나를 소개하는 것이 아닌가?

27일부터 등교가 아닌 난생처음 공장으로 출근하게 된 것이다.

그곳은 경주 남산에서 큰 옥을 사 와서 잘라서 옥반지 옥구슬 옥 장식 등을 만드는 '아세아 제이드'라는 회사였다.

화공 약품을 많이 써서 발바닥이 우주에 떠 있는 어느 별의 표면같이 되었다.

돌아가는 공작기계들의 소음으로 기술자들의 소리를 못 알아들으면 여지없이 공구들이 날아오고 담배심부름이며 온갖 일을 감당해야만 했다.

학교를 다녀오거나 공장에서 퇴근할 때 집에는 커다란 벽화처럼 널려 있는 이면수가 언제나 반겨 주었다.

늦으시는 어머니께서 언제든지 먹을 수 있게 말려 놓은 것이다.

그것이 이면수벽화인 것이다.
이면수 튀겨지는 모습과 소리는 온갖 시름을 다 잊
게 해주는 아름다운 예술 작품이었다.

새 길을 열어주신 손길

타자기를 수리하는 데 어느 정도 준 기술자가 되었을 때였다.

타자학원의 원장님이란 분이 저를 데려가고 싶다고 하여 팔리다시피 따라간 곳이 혜화타자학원이라는 곳이다.

원장님은 저를 데려가서 다목적 용도로 쓰면 좋겠거니 하고 일을 진행하셨고 삼양사무기 사장님도 저를 그쪽으로 가는 게 좋겠다고 하였다.

지금 생각해도 일반적으로는 이해되지 않는 특별한 상황이 벌어진 것이다.

그것은 분명 새 길을 열어주시려는 그분의 손길이었음을 고백하지 않을 수 없다.

타자학원에서 내가 하는 일이 정해졌다.

낮에는 교육청으로 어디로 서류봉투 나르는 일이었고, 수업 시간에는 한글 타자 선생님과 영문 타자 선생님께서 수업하시는 것을 어깨너머로 들여다보는 일이며 학생들이 타자기가 안 된다고 소리치면 달려가서, 간단한 응급조치로 바로 칠 수 있도록 고쳐주는 일이었다.

주로 맨 뒤의 의자에 앉아 있다가 부르면 달려가서 타자기를 손봐주는 일이었다.

그것으로 끝난 게 아니었다.

저녁 수업이 다 끝나면 주로 여학생들이 타자 치다 오타 많은 종이를 쭉 찢어 버리고 간 것, 귤껍질. 과자봉지. 휴지 등등을 서랍에서 다 꺼내고 타자기를 닦고 책상 의자 바닥을 말끔히 치우고 저녁엔 타자학원에서 잠을 자며 타자기를 지키는 일이었다.

몇 달이 흘러갔다.

정신없이 흘러가는 일상이었다.

학교 다니는 학생들의 교련복이 그토록 입어보고 싶었다.

고등학생들의 대화를 알아듣지 못하는 게 점점 많아졌다.

어느 날 여학생들이 '정경 시간에⋯.' 어쩌고저쩌고 대화하는 소리가 들려왔는데 이해가 되지 않았다.

나중에 보니 정치경제라는 과목이었다.

여기서 이렇게 계속 지내다가는 마냥 그 자리 인생 같았다.

공부해야겠다는 굳은 결심이 들어섰다.

세 가지를 하기로 마음먹었다.

새벽에 검정고시 공부하고

저녁에 타자 급수 준비하고

밤에 서재에 꽂혀있는 책을 다 읽자 였다.

일단 새벽에 신설동에 있는 고려검정고시학원의 문을 두드렸고 잠글 수 있는 커다란 가방 하나를 준비하여 중학교 1학년 책을 가득 담고 다녔다.

누가 보기라도 할까 봐 잘도 숨기고 다녔다.

저녁에 모든 청소가 끝나면 낮에 어깨너머로 배워두었던 선생님들의 말들을 기억하며 타자를 두드리기 시작했다.

상공회의소 한글 타자 1급. 영문 타자 1급을 딸 때까지 죽어라 쳤다.

타자 치다가 잠들 때가 한두 번이 아녔다.

남들과 같이 일반적으로 치면 별로인 거 같아 새로운 방법의 '콘타법'을 개발하는 데까지 나아갔다.

즉. 모든 자판을 눈을 감고도 칠 수 있게 만드는 것이었다. 특히 숫자나 특수기호, 나중에 전동타자기에선 리턴버튼까지도 말이다.

처음엔 힘들었지만, 점점 가속도가 붙었다.

마침내 한. 영 타자 1급을 취득하자 원장님께서 슬슬 학생들을 가르쳐보라고 기회를 주셨다.

물론 보조교사 정도였다.

어느 정도 시간이 지나 한 선생님이 그만두셨는데 그 자리를 저에게 맡기시는 것이 아닌가?

그동안 준비한 콘타법으로 학생들을 지도하니 실력이 쑥쑥 오르고 급수도 모두 잘 따게 되었다.

나중엔 혼자서 수업을 도맡아 하게 되었다.

그때 5분 스피치라는 시간을 만들어 수업 시간에 5분간 인생의 좋은 이야기를 하고 수업했던 기억이 생생하다.

그 당시 칠판에 이렇게 썼다.

인생은 무거운 짐을 지고 가는 나그네이다. 이왕 살 바에는 확실히 살자 젊은이여!!

이제는 이왕 살 바에는 확실하게 살자 청춘이여 해야겠다.

선생님이란 소릴 듣게 되니 너무 좋았다.

열심히 공부해서 진짜 선생이 되어야겠다고 생각하고 열심히

검정고시 준비를 하여

중·고졸업자격 검정고시에 드디어 합격하게 된 것이다.

저녁에 서재에 꽂혀있는 문학 전집을 다 읽게 되었는데, 특히 톨스토이의 '부활'은 영원한 파노라마로 기억 속에 자리 잡고 있다.

타자기 상사에서 기술자로 흘러가는 인생을….

공부하며 책을 읽으며 진짜 선생님 소릴 들을 수 있는 자리로 옮겨 주신 그 손길에 너무나 감사했다.

신학의 길로

아직 검정고시 합격 전이며 혜화타자학원에서 근무하고 있을 때 신체검사를 받으러 고향인 전라남도 강진군 작천면으로 향하게 되었다.
중학교 3학년에 올라가자마자 중퇴했으니 졸업장이라곤 공덕초등학교졸업장 밖에 없었다.
신검받으니 학력 미달로 보충역이 되었다.
시골에서는 아무개 아들이 초등학교밖에 안 나와서 방위를 가게 되었다고 하는 소리가 내 귀에도 들려왔다.
못 배운 설움이 이런 거였구나 하고 돌아오는 기차의 창을 때려주는 빗줄기와 함께 한참 울었다.
태릉 지나 삼육대 뒤편에 있는 사단에서 군사교육을 받고 배치를 받는데, 타자 칠 수 있고 고치기까지 할 수 있는 나를 다른 육본이나 수방사 등에 빼앗기지 않으려고 자체 사단 인사처리과에서 애초부터 점찍어 놓았다.
힘드신 어머니와 둘이 버텨야 할 삶의 무게는 무척이나 버거웠다.
당시 배나무에 목을 맸다고 하는 동료들의 소식을 종종 접할 수 있었고 이해되는 부분도 있었다.
새벽에 신문을 돌리고 사단에 출근하고 점심은 부대 내에서 짬밥을 먹을 수 있어서 그나마 다행이었다.

당시 윤 아무개 하사라는 사람이 복도에 지나가는 나를 아무 이유 없이 가슴을 퍽 친 게 지금도 충격으로 다가와 자리 잡고 있다.

아침에 눈을 뜨면 이대로 갔으면 좋겠다는 생각도 여러 번 하게 되었다.

하지만 부대 안에 그리스도를 믿는 믿음의 형제들이 곁에서 함께 해 주었다.

당당하게 갈 길을 가라는 말은 언제나 큰 힘이 되어 주었다.

무사히 군 복무를 마치고 청량리에 있는 대성 타자학원에 거의 스카우트되다시피 하여 다니게 되었다.

이정태 선생이 나의 학원가 명이었다.

청량리에서 제일 가까운 정화여상 오전. 오후반과 혜성여상 동구여상 서울여상 등등 수많은 학생이 몰려왔다.

100대 이상의 타자기로 한글 타자 선생님과 함께 나는 영문 타자 선생으로 자리 잡아가고 있었다.

정화여상 야간반이 수업하러 와서 저녁 11시가 되어야 수업을 마칠 수가 있었다. 복도에서 대기하여 전에 반을 다 내보내고 들여보내기까지 하는 그야말로 잘 나가는 모습이었다.

수업 후 청량리 로터리 뒤로 돌아 연탄불 위에 구워진 삼겹살집은 지금도 잊히지 않는다.

검정고시에 합격하고 신학만이 살길임을 알게 되어

준비하게 되는데 원장님의 특별한 배려로 오전에
수능 입시학원에 다닐 수가 있었다.

한글 타자 선생님과 나는 함께 수업하게 되는데.
그분은 사우디아라비아에 다녀오신 분으로 무척이
나 깡마른 스타일이었고 결혼한 지도 얼마 되지 않
았다고 했다.

그런데 같이 수업하는 도중에 갑자기 쓰러지신 것
이다.

들어 업고 병원을 향해 무조건 달렸다.

점점 쭉 뻗어지는 느낌을 받았다.

병원에 도착하여 보니 의사가 가망이 없다는 것이다.

오후에 사망선고가 내려졌다.

저녁에 부인이 와서 아침에 잘 다녀올게 인사했는
데 여기서 이렇게 만날 줄 몰랐다고 할 땐 한참 같
이 울었다,

한 치 앞도 모르는 인생 언제 갈지도 모르는 인
생….

신학에로의 의지는 더욱 확실해지고 있었다,

삶의 여정 속에 그분과 만남만이 참된 길이고 유일
한 소망인 것을 더욱 확고하게 되는 계기가 된 것
이다.

성실과 인내로 버티기

신학교 다닐 때 영등포 당산동의 소망교회에서 전도사로 6년 반 정도 사역할 때가 있었다.

교회 전도사로 사역하기란 만능에 가까울 정도로 다양한 사역을 감당해내야 했다.

여러 가지 사역을 감당해내고 있던 어느 날

남양주 어디선가에서 신학 동기들에 의해 거의 납치되다시피 하여 경기도 가평군 설악면의 한 민박집으로 수련모임을 가게 되었다.

다음날 새벽예배를 인도해야 하는 상황이었는데

무조건 도착한 곳은 한적하고 분위기 좋은 곳이었다.

마음에 맞는 동기들과 마음껏

떠들며 이야기하니 얼마나 좋았는지 몰랐다.

점점 마음에 내일 새벽예배 인도에 대한 압박으로 조여 왔으나 한번 안 한다고 어디가 어찌 되느냐.

그렇게 융통성이 없어서 어떡하나 등등의 소리에 전화해서 못하게 됐다고 할까 하다가도 그건 아닌 거 같았다.

새벽 2시가 되었을 때 잠자는 동기생을 깨워서 도저히 안 되겠으니 우리 둘이 살짝 다녀오자며 도움을 청했다.

할 수 없이 응한 동기생과 함께 설악면에서 당산동까지 달려 4시 30분에 도착하여 5시 새벽예배를 무사히 마치고(?) 돌아왔다.

지금 생각해도 너무 무모하고 융통성도 없고 고지식하고 고집만 피우는 나의 모습이 여실히 드러난 일이었다.

강도사 때 신학생들의 아오지 탄광으로 알려진 대방동의 한 중형교회에 가게 되었다.

전임으로 왔다가 모두 2~3달을 버티지 못한다는 곳이었다.

월요일 휴식도 없고. 월요일 새벽예배를 마치면 어제의 현황을 보고해야 했고, 한 주일에 2번 정도는 경기도 덕평쪽에 기도원을 세운다고 하는 곳으로 가서 땅속의 돌들을 나르는 일이 주 업무였다.

담임목사님의 차량을 주로 운전하고 심방을 함께하는 5분대기조 같은 사역이 계속되었다.

특유의 인내가 발동되었다.

2년을 버텨내면서 가장 오래 있었던 부교역자로 기록될 정도였다.

그래도 그곳에서의 훈련이 훗날 목회사역에 큰 밑거름이 된 것 또한 사실이다.

신학공부에 든든한 버팀목이 되어주신 분들

망원제일교회(통합) 다닐 때 김기복 목사님께서 장신대보다 나의 형편에 맞춰 공부할 수 있는 대신측 신학교를 소개해주셔서 안양대신학과를 낮엔 일하면서 공부할 수 있게 되었다.

당시 현대전자에 근무하시면서 운영하시는 북창동 자그마한 사무실에서 IBM사에서 만든 전자타자기의 부속을 주문받아 갖다 주는 일이었다.

사장님과 둘이서만 돌아가는 회사였고 사장님이 나중에 현대전자에서 나와 컴퓨터 대리점을 차릴 생각으로 나와 둘이서 작게 시작한 회사가 바로 창성 System이었다.

구로구의 남성전자 등 곳곳에서 주문이 들어오면 배달해주고 바로 퇴근하여 학교에 가도록 해주셨다. 나중에 사장님이 합류하셔서 북창동에서 여의도의 백상빌딩으로 크게 되어 이전하였다.

당시 현대전자에서 8088, 286, 386 개인용 컴퓨터가 날개 돋친 듯 팔려 나갔기에 나는 컴퓨터 사용법을 알려주는 교육부서에서 일하게 되었다.

그곳 영업부에서 활발하게 활동하시는 장 아무개 집사님은 제가 광야나눔선교회로 사역을 함께 하고 있다고 하니 매월 3만 원씩 CMS로 넣어주신다고 하고 그 후 10여 년 동안 꾸준하게 후원을 하셨다.

회사는 더욱 발전하여 양재동에 정우빌딩 1층과 2층 전체를 다 쓰는 곳으로 이전하였다.

1층에서는 실내장식이 깔끔하게 잘 된 매장이 자리잡고 2층엔 사무실과 교육장이 자리하게 되었다.

대웅제약과 제휴하여 당시 약국관리프로그램을 만들어 전국에 배포하게 되었는데

교육부서인 나는 전국 약국을 방문하여 프로그램을 깔아주고 사용법을 설명해 주곤 하였다.

그리고 당시 OS인 아래아한글과 로터스(엑셀영문판). 데이터베이스 등을 교육하여 각 기관과 학교. 학원 등에 납품하게 되었다.

회사 규모가 점점 커지게 되고 사장님의 친척 중에 한 분이 인사관리부장으로 오시게 되었다.

서류를 다 들여다보니 내가 가장 눈엣가시처럼 여겨졌는지 내일부터 당장 나오지 말라는 것이다.

이유인즉. 오후 3시 정도까지 밖에 일은 안 하는데 정규직처럼 월급도 받고 보너스도 받고 있었으니 회사로선 그럴 수밖에 없었을 것이다.

그러나 그다음 날 그 부장님은 사장님께 혼이 났다고 했다

사장님께서는 이렇게 말했다고 했다.

이 친구는 회사 초창기 아니 시작 전부터 근무하던 친구라며 감싸주었던 것이고 공부할 수 있도록 최대한 배려하라는 것이다.

이 창성 System의 뒷받침은 나의 신학 공부에 큰
버팀목이 되어 주었다.
그 뒤엔 그분이 계시니까.

어디에나 길은 있다

다만 뚫느냐 뚫지 않느냐만 있을 뿐이다.

공부하다 보면 물질이 떨어져 쩔쩔맬 때가 한두 번이 아니다.

그때마다 그만두면 아무 일도 못 한다.

우선순위에 올려놓고 길을 찾아야 할 것이다.

내가 딱 그랬다.

맘껏 공부하고 싶고 특히 기숙사에 들어가 죽어라 공부만 좀 해봤으면 하는 소원이 간절해졌다.

초점이 맞춰지고 찾고 찾았더니 두 가지 일이 열리기 시작했다.

무작정 찾아간 곳은 종로 YMCA 건물의 Y-Com이라는 컴퓨터학원이었다. 여원장님이셨는데 전에 우리가 컴퓨터 납품도 해주고 수리도 해준 일이 있어 조금은 아는 분이었다.

나를 강사로 써 달라고 무조건 졸랐다. 여원장님은 예전 교육부에서 친절하게 가르쳐주던 모습만 기억하고 흔쾌히 써 주셨다.

O/S 중에 로터스와 베이타베이스를 중점적으로 가르쳤는데 어떻게 하면 배우는 분 입장에서 좀 더 쉽게 배울 수 있을까를 늘 염두에 두고 가르쳤더니 성과가 나기 시작했다.

이렇게 지내는데 어머니께서 외삼촌에게서 돈을 빌

리셨는데 못 갚은 게 있어 전화로 독촉받는 일이 잦아졌다.

책이 눈에 안 들어왔다.

신학을 휴학하고 1년 노동이라도 해서 빚 갚고 맘 편히 공부해야겠다는 생각이 들었다.

신문을 보니 극동건설에서 사우디아라비아에 타자수 행정 요원을 구한다는 광고가 보였다.

남산 밑 퇴계로 쪽에 커다랗고 네모난 하얀 건물 위에 극동건설이라 써진 곳으로 가서 실기 시험을 보았다.

학원 강사 출신들이 많이 지원한 듯 보였다.

죽어라 타자 친 효과를 톡톡히 보았는지 최종 합격하여 사우디아라비아 주베일항만에 담수화 사업 현장에 배치되었다.

다들 돈 벌러 온 사람들이니 돈독이 오른 사람들처럼 조금만 비위가 상하면 싸우기도 잘하였다.

금요일이 휴일인 나라라 2시간 차를 타고 담맘이란 곳에 한인교회를 다니게 되었다.

신학교 2학년 다니다 왔다 하니 사역에 도움을 주라 하셔서

그곳이 나의 첫 교육전도사 자리가 되어 처음 한 설교가 '너희는 나를 누구라 하느냐'였다.

당시 사우디아라비아 한인교회의 성격이 거주하는 동안 친교와 정보 나눔 식사 나눔 소식 주고받음

등으로 코이노니아가 이뤄지고 있었기에 예수님을 어떻게 부르냐에 따라서 생활신앙이 달라지기에 주신 말씀이었을 것이다.

건설현장에서 건물 올라가는 것은 눈에 보이는 것이고, 서류를 작성하여 기성금을 타내야 일들이 진행되는 것이 내부의 일이었다.

새벽 4시 30분에 캠프에 도착하여

일해야 더운 낮에 좀 쉴 수가 있었다.

사우디에 도착하는 날부터 일하고 돌아오는 날까지 가득 채워 일하도록 건강과 신앙을 지켜주신 그분의 사랑에 무한 감사드립니다.

그 덕으로 무사히 귀국하여 빚도 다 갚고 복학도 하고 꿈에 그리던 기숙사에 들어가 공부만 죽어라 해보는 기쁨도 맛보게 되었다.

모든 것이 그분의 은혜이다.

주님께서 은혜로 주신 8구조원리영어

시흥1동에 해법 영어교실을 냈다.
아무도 오지 않았다.
어느 날 초등학교 4학년 여학생이
남루한 시장건물 1층 교실로 놀러 왔다가 엄마에게
다니게 해 달라고 졸라서 다니게 된 것이 첫 학생
이었다.
해법 영어교실은 가맹점으로 비싼 교재비가 거의
본사로 들어간다. 남는 게 별로 없다.
하지만 최선을 다해 한 학생을
가르쳤더니 반응이 나타나기 시작했다.
소개 소개로 어린이들이 늘어갔고 인터넷 카페를
보고 멀리서 딸을 데리고 오신 분도 계셨다.
물론 가정이 어려운 학생들은 무료로 가르쳤다.
지역청소년센터에 출강을 나가 학생들을 가르쳤고
마을에서는 금천영어독서캠프라는 학습동아리를 운
영하면서 영어라고 하는 매개체로 많은 분과 만날
수 있었다.
시흥동의 작은 영어 공부방이었지만 훗날 이곳에서
배운 학생들이 좋은 대학과 세계로 뻗어 나갔다.
학원 보낼 형편이 안 되는 개척교회 목회자의 자녀
교육에 있어서 이 8구조원리영어가 큰 도움이 되었다.
나의 두 자녀에게도 8구조원리영어로 가르친 게

영어공부 전부였는데 주님의 크신 은혜로
두 자녀 모두 대학을 무리 없이 들어갔다.

8구조원리영어는 강남권의 OMS 영어 전문학원의
강사로 있으면서 기초반을 맡아 강의하면서 어떻게
하면 좀 더 쉽게 구조화시켜 가르칠 수 있을까를
고민하면서 기도하는 가운데 영어책 수십 권을 완
독하며 특별한 공부방법이 있다고 하면 물불을 가
리지 않고 달려가 배워온 것을 총 결집하여 만들어
진 것이다.

8구조로 영어가 올 수 있는 모든 자리를 그려 넣은
영어의 세계지도라 할 수 있다.

8구조로 영어 성경을 보면서 나누는 은혜는 넘쳐났다.
크고 작은 교회의 목회자들과 사모님들이 한 번씩
은 거쳐 갔다.

특히 백석대 전도사님들이 대학원과 석. 박사과정
준비로 8구조영어를 많이 배웠다.

소수의 선교사님께서 급하게 공부하시고 사역지로
향하기도 하셨다.

모든 것이 살아계신 하나님 은혜이며 하나님께서
보내 주신 분들이었다.

'8구조'이야기

'8'이란 숫자가 나에겐 커다란 의미로 다가와 앉아 있다.

영어 공부하다 영어를 가르치다가 8구조라는 법칙을 처음으로 개발하여 적응해 보았는데 너무나도 잘 맞아 떨어진 것이다.

양평으로 가는 기차 안에서 차창에 비치는 북한강이 아침 안개와 어우러져 한 폭의 산수화가 되어 액자로 다가온 것처럼 주님께서 지혜를 부어 주시니 은혜 가운데 자연스럽게 8구조라는 틀을 받을 수가 있었다.

동사를 상태 동사와 동작동사로 크게 나누고 다시 각각 4개의 모습으로 나누어 8구조는 완성되었다.

우선 우리 자녀들 나눔(나누며 살아라) 주강(주님이 강하게 하신다.에스겔)에게 주일 오후에 1시간씩 가르쳤다.

좋은 결과로 나타났다.

그 후 멀리서도 8구조원리영어를 소개받고 오시는 분들이 생기기 시작했다.

8구조원리영어로 다시 목회를 시작할 수 있는 동력을 얻고 개척교회의 뒷받침을 조금이라도 감당할 수 있었으니 큰 은혜가 아닐 수 없었다.

산꼭대기에 8각정을 짓는 것은 8각구조로 이루어진

건축이 바람과 태풍에도 견딜 수 있는 구조 때문일 것이다.

음악에서 음계는 원래 7개이다.

'도레미파솔라시'의 7개가 음계인데 다시 도를 붙여줘야 드디어 8음계가 완성되는 것이다.

결국 '도레미파솔라시도'로 완성되는 것이다.

이제마 선생의 사상체질을 권도원 선생은 더 세분화하여 8체질의학으로 발전시켰는데 8가지체질로 구분하여 자신에 맞는 음식과 운동 등을 고려하면 큰 유익이 되는 것을 알 수 있다.

8이란 숫자를 옆으로 누이면 무한대라는 표시가 된다.

무한한 가능성과 완성을 향해 나아가는 모습이다.

히브리어 동사는 7가지로 변화하면서 말을 만들어 낸다.

사람들은 7변화 동사라고 말한다.

그러나 나는 8변화 동사라고 감히 말한다. 왜냐하면, 뿌리 동사인 동사의 원래 모습 즉 동사원형을 시작으로 7개로 분화한 것이니 음악의 으뜸음처럼 으뜸 동사(동사원형)를 정점으로 한 8변화 동사로 할 때 온전한 설명이 되기 때문이다.

성경에도 8가지로 분류되어 설명해야 할 일들이 너무나도 많다.

창세기를 예로 들면 창조, 타락, 홍수, 심판과 아브라함, 이삭, 야곱, 요셉의 8가지로 설명할 수 있을 것이다.

8구조원리성경공부를 체계적으로 준비하고 있다.

머잖아 세상에 8구조원리성경공부로 든든히 세워지는 성경의 원리로 깊은 신앙으로 성장하는 도구가 되었으면 한다.

8구조원리영어로 시작하여

8구조원리헬라어

8구조원리히브리어

8구조원리중국어로 현재 4개 정도가 완성단계에 있다.

모두 주님 주신 지혜로 열어주신 원리의 세계에서 받은 것이다.

이 모두는 어디까지나 원리에 불과하다.

기본8원리를 깨닫는 데 초점을 두고 있다.

그 후엔 자신이 더욱 노력하여 자신의 것으로 만드는 것이 중요하다.

나는 8구조원리로 기초 부분만 열어 줄 뿐이다.

나는 전공자도 능통자도 아니다.

오직 8원리로 이치를 풀어 줄 뿐이다.

그 원리를 이해하고 꾸준하게 공부하면 누구라도 할 수 있는 디딤돌이 되는 역할을 하는 것이다.

교회사역에 접목하시거나 개척예정이신 분은 이 원리를 통해 교회사역에 뒷받침이 되어 진행하는 것도 좋을 것 같다.

일반인의 제안을 다 물리치고 8원리는 오직 목회와

교회 선교와의 지향점을 가지고 쓰임 받았으면 합니다.

특히 개척교회 목회자의 자녀들 교육에 적용하여 사용되면 더더욱 감사할 것입니다.

8원리구조의 지혜를 주시는 하나님께 모든 영광을 돌립니다.

간절함이 살게 하는 동력이다

안요 한 목사님의 책 '낮은 데로 임하소서'를 읽고 점자책 읽기에 도전한 때가 있었다.

하얀 종이 위에 툭툭 튀어나온 돌기들이 3등분 집게손가락의 3층 지문 감각으로 ㄱ ㄴ ㄷ ㅏ ㅑ ㅓ ㅕ 를 읽어내는 일이었다.

끈기가 없었는지 어느 정도에서

더는 진척이 없었다.

금천구에서 수어 통역센터 선생님들이 열심히 가르쳐주신 수어도 지화는 좀 되는데 수어는 생활 속에서 안 쓰게 되니 조금 아는 것도 다 잊히게 됨을 느낀다.

요즘 코로나 19로 인한 방송에서 열심히 수어로 통역해 주시는 분들을 보면서 코로나가 끝나고 일상에서도 수어방송을 해 주면 좋겠다는 생각이 들었다.

점자책 읽기와 수어에서 가장 중요한 것은 얼마나 간절하냐인 거 같다.

간절함이 꾸준하게 앞으로 나아가는 동력을 제공하며 간절함이 떨어지면 그만 힘을 잃어버리고 마는 것이다.

내가 얻는 작은 결론은 점자책은 나의 눈이 멀어야 하며, 수어는 나의 귀가 안 들려야 하는 상태의 간절함이 있어야 한다는 것이다.

지금 하는 일, 지금 살아가고 있는 삶에 있어서 나의 간절함이 어느 정도인가를
늘 잊지 말아야 할 것이다.
다음으로는 무엇에 대한 간절함인가를 늘 물어야 할 것이다.
바른 진리에 대한 간절함
올바른 삶에 대한 간절함
뚜렷한 목표에 대한 간절함
바른 목회 건강한 교회에 대한 간절한 등등으로 자신의 삶에
올바른 간절함을 얹어
자신이 성취해 나아가는 방향을
늘 성찰할 수 있는 동력을 갖추고 인생의 항해를 해 나가야 할 것이다.
오늘 우리의 부족함 대부분은 간절함이 덜한 것에서 기인한 경우가 많을 것이다.
오늘 나는 무엇이 부족한가?
오늘 나는 무엇에 간절함으로 살아가고 있는가?

생명수교회부설 8구조원리영어교실 태동 이야기

생명수교회의 월요일 오후에는 8구조원리 영어공부가 10여 년 넘게 이어져 오고 있다
8구조원리영어가 만들어진 계기는 이렇다.
우리 자녀들이 중.고등학생일때 신월동에서 목회하고 있었으므로 양천구 목동 군의 학원가에 학원비가 워낙 비싸 개척교회 목사로서는 도저히 감당이 안 되었다.
주님께 매달렸다. 영어만큼은 내가 배워서 가르치는 게 좋겠다는 막연한 생각으로 주님께 지혜를 달라고 기도하면서 묵혀 두었던 영어책을 다시 들기 시작하였다.
또한, 영어를 좀 특별한 방법으로 가르치는 곳들의 문을 지속해서 두드렸다.
결정적으로 OMS라는 영어 선교회의 박규일 원장을 만나게 되었다.
이곳에서 영어의 뼈대를 잡을 수가 있었고 강사로 OMS 영어 전문학원에서 강의도 하게 되는 기회도 주어졌다.
영어의 골격은 알겠는데 가르치는 방법이 여전히 5형식 구조로 설명하는 예전 방식이었다.
새로운 영어학습 방법론을 찾는데 도전해 보고 싶어졌다.

이에 좀 더 알기 쉽고도 잊히지 않도록 그림과 도표 스토리 등을 넣어 재미있게 배울 수 있도록 그 기초자료들을 모으기 시작하였다.

그러던 차에 시흥3동 어린이집 운전을 하면서 차량운행 중간마다 원장님이 내어주신 자그마한 공간에서 기도하면서 영어책과 씨름할 수 있었다.

양평군 지평의 시골집으로 오가는 기차 안에서 주님 주시는 지혜로 말미암아 8구조원리영어의 체계가 잡힐 수 있었고 도표와 그림 및 스토리까지 채워질 수 있었다.

주님께서 주신 '8구조원리영어'가 이렇게 탄생한 것이었다.

신월동 목회를 정리하고 운전하면서 정리한 영어체계가 너무나 귀한 것으로 여겨졌다.

그러나 아무도 알아주지 않았다.

그래서 먼저 당시 막 시작하고 있던 해법 영어교실의 간판을 시흥1동 현대시장 옛 건물 1층 7평 (200-20만)에 달았다.

아무도 오지 않았다. 처음엔 시흥3동 어린이집 어린이들을 차로 데려와서 주산과 영어를 가르쳐서 데려다주었다.

그러던 중 초등 4학년 학생 몇 명이 해법 영어교실을 믿고 찾아 왔다. 열과 성의를 다해 가르쳤다. 몇 달이 지나 조금씩 성과가 나타나기 시작했다.

가까운 자연목욕탕 앞으로 이전하게 되어 생명수교
회를 다시 시작할 수 있는 계기가 되었다.

해법 영어교실도 벗어버리고 전적으로 8구조원리영
어로 하고 얼마 후 교재도 완성되어 본격적인 강의
가 이뤄진 지가 어언 10년을 훌쩍 넘기고 있다.

8구조원리영어를 통해 다시 목회할 수 있는 길을
열어주신 하나님께 무한 감사를 드립니다.

생명수교회부설 생수8구조원어연구원 스케치

8구조원리영어로 시작하여 히브리어 헬라어 아람어 (성경에 기록된 언어3가지)를 8구조로 대입시켜 보니 신기하게도 맞아 떨어졌다.

언어가 하나였다는 것을 새삼 느끼는 부분을 맛본 것이다.

온 땅의 언어와 말이 하나였는데 사람들이 성읍과 탑을 건설하여 그 탑 꼭대기를 하늘에 닿게 하여 우리 이름을 내고 온 지면에 흩어짐을 면하자는 생각으로 그 일을 시작한 것이 바로 언어가 혼잡하게 된 주요 원인이 되었다.

하나님께서 온 땅의 언어를 혼잡하게 하셨으므로 그들을 온 지면에 흩으셨고 그들이 그 도시를 건설하기를 그치게 되었으며 그러므로 그 이름을 바벨이라 하였다. (창세기 11장)

이러한 성경의 역사를 따라 다른 언어에 접근할 때 겸손히 주를 따르며 하나님 앞에서의 죄의 문제까지도 들춰내며 언어에 접근해야 열리게 되는 원리를 무엇보다 먼저 깨달을 때 많은 부분이 열리는 것을 알 수 있다.

무슨 언어를 배우는데 복잡하게 따지느냐 하는 분들도 있는데 원리를 따라가면 그 근본 원인을 알게 되고 그 원인을 해소할 때 비로소 그 문제를 해결할 수 있는 키를 얻게 되는 것이다.

성경의 원리를 따라 살면 영혼이 잘되고 범사는 물론 건강까지도 잘 될 수 있듯이 언어 또한 이런 맥락에서 이해돼야 할 것이다.

그 원리를 따라 죄의 문제, 교만의 문제, 우리가 하나님의 원하심과 상관없는 무언가를 이루려 하는 모든 것을 내려놓고, 겸손히 주의 말씀에 귀 기울이게 될 때 말씀과 언어가 생명으로 내게 다가오는 것을 경험하게 되는 것이다.

그래서 원어를 배우려는 사람은 이 부분부터 시작하여 앞으로 나아가야 할 것이다.

나아가 주님께 지혜를 구하며 주님의 세미한 말씀을 들으며 전하며 전해주고 싶은 간절한 마음으로 진행하게 될 때 큰 은혜가 되고 끊임없이 원어에 관심을 가지고 지치지 않고 계속 갈 수 있는 동력을 얻게 되는 것이다.

다음으로는 앞서간 분들의 지도를 받는 것이 중요하다.

물론 성경과 원전에 관계된 책들과 좋은 프로그램까지 잘 나와 있으니 얼마든지 노력하면 된다. 문제는 시간이 오래 걸린다는 것이다.

지도를 받을 때 사람을 잘 만나야 한다. 예전부터 원어를 이상하게 풀어 이상한 쪽으로 몰고 가는 분들이 더러 있기에 주의해야 한다. 최소한 신학교에서 수업했거나 현재 수업하고 있는 검증된 분들의 지도를 받는 게 좋다. 한문으로 푼다든지 글자 한 글자 한 글자 풀면서 천지창조도 부정하고 신학과 신앙적으로 잘못된 가르침을 원어에 접목해 가르치는 곳이 있기에 주의를 기울여야 할 것이다.

그럼 신약성경으로 기록된 원전의 언어인 헬라어부터 시작하여 구약성경으로 기록된 히브리어를 배우고 성경의 4곳이 아람어로 기록되어 있기에 아람어도 좀 가르쳐 줄 필요가 있다. 아람어는 히브리어와 거의 같이 쓰인다. 다만 정관사가 앞(히브리어)에 있고, 뒤(아람어)에 있고 하는 식으로 조금만 이해하면 히브리어를 배운 사람은 쉽게 아람어를 통과할 수 있을 것이다.

성경에 기록된 원래 언어인 히브리어와 아람어와 헬라어를 접하고 배울 수 있다는 것은 우리의 신앙에 있어서 너무나도 귀한 것이다. 내 생애에 이러한 시간이 주어졌다는 것만으로도 무한 감격해 하는 게 사실이다. 적어도 내게는 그렇게 다가와 주었다. 신학교 때 헬라어 쪽지 시험 본 것을 채점을 도우면서 원어에 더욱 깊이 빠져들었고, 훌륭한 교수님들을 만나 배웠던 것이 계기가 되어 지금까지도 원어에 관심을 가지고 계속 배우며, 가르치고 있다.

부천의 국제비전신학교에서 히브리어와 헬라어를

가르치는 것을 시작으로 많은 신학교에서 신학 영어, 원어, 선지서 등을 가르치면서 원어에 대한 사랑은 깊어만 같다. 원어와의 사랑에 빠진 것이다. 한 번 사랑에 빠진 사람은 빠져나오기 힘든 것처럼 원어도 그와 마찬가지이다.

목회자가 제일 바쁜 것이 어찌 보면 성경연구로 바쁜 것이다. 나머지는 바쁜 척하는 것일 뿐이다. 기도가 2시간이면 성경연구에 4시간이 걸린다. 어찌 보면 당연할지 모른다. 기도가 주님께 아뢰며 간절히 구하는 것이라면, 말씀 묵상과 성경연구는 주님의 음성을 듣는 시간이기에 그런 것이다.

그분의 세미한 음성을 들으려면 준비해야 하고 정돈해야 하고 귀를 기울어야 하고 좀 더 자세를 갖춰서 들으면 더욱 좋기에 우리가 원어 공부를 하는 것이라 할 수 있겠다.

어떤 한 단어의 뿌리를 찾아가기도 쉽지 않다. 한 단어의 뜻을 제대로 이해하기 위해선 많은 시간을 투자해야 한다.

차분하게 사전과의 씨름, 본문과의 씨름을 통해서만 얻어지는 보석 같은 말씀들을 얻게 되는 기쁨은 원전과 함께 고난을 통과한 자가 누릴 수 있는 행복이다.

한글 성경에 은혜받고 영어 성경(NIV, NLT) 등에 은혜를 받았다면 이제, 히브리어, 아람어, 헬라어에 도전해 보자. 누구나 가능하다.

주님 주시는 은혜 따라, 주님의 말씀을 사모하며 더 갈급함으로 그분의 음성을 듣고 싶은 사람은 누구나 할 수 있다.

신학교에 들어가면 제일 좋고, 아니면 가까운 곳의 원어를 가르치는 곳(검증된 곳)을 찾아 원어에 도전해 보자, 머잖아 말씀의 깊이가 더해지는 놀라운 은혜와 진리로 충만하여 우리의 신앙이 한층 성숙해지는 것을 분명 느끼게 될 것이다.

생수8구조원어연구원은 이 일에 작은 힘이라도 보태고자 열심을 품고 배우고 나누며, 가르치고 있다. 멀리서 배우시는 분들을 위해 유튜브에도 올려놓았으니 시간 되실 때마다 보시면서 함께 공부하시면 좋은 성과를 얻을 수 있을 것이다.

특히 요즘은 책도 잘 나와서 어려운 문법을 분해대조표로 읽게 하는 방식을 취하니 기본적인 문법만 숙지하고 나서 바로 분해(파싱)된 문법 표를 보면서 바로 본문을 볼 수 있는 시대가 되었으므로 원전으로 성경을 마음껏 볼 수 있는 시대가 되었는데 이렇게 좋은 시대를 이해하지 못하고 받아들이지 않고 누리지 못하는 것은 스마트폰을 쓰지 않는 경우와 비슷하다 할 수 있을 것이다.

누구나 할 수 있다. 원어 공부를 통해 더 넓은 은혜의 바다에서 헤엄쳐 보자!

Part 5

코로나 19 아침 묵상

직업 이야기

일복이 많은 사람의 행복

목양실 책장에 꽂혀있는 책 중에 오래된 책에서 뭔가 보려고 꺼내 들었다.
첫 페이지를 넘기자 3장의 빛바랜 사진이 퉁겨져 나왔다.
마치 왜 이제 나를 찾아 왔냐? 라고 투정 부리듯 사진들이 나뒹굴었다.
그 사진들은 사우디아라비아서 근무할 때 찍은 사진들이었다.
신학교 2학년 때 어머니는 남동생에게 적잖은 빚을 지고 있었다.
자주 빚 재촉의 전화 받는 소리가 내 귓가를 떠나지 않았다.
편안히 책만 보고 공부만 하는 게 죄스러웠다. 휴학해서 어머니 빚을 다 갚고 공부해야겠다는 생각으로 지내고 있는데,
 마침 신문에 사우디아라비아에 가서 일할 사람을 뽑는다는 글이 눈에 확 띄었다.
회사는 극동건설이었다.
해외에 남자 타자수를 구한다는 내용이었다.
신학교 오기 전에 타자 강사를 했으니, 시험을 보는 데 적합하였다.

극동건설 본사에서 타자로 1장을 쳐보라 해서 열심히 두들겼는데, 해외로 떠날 준비 하라고 하였다.

왕복 비행기도 먹고 자는 것도

모두 회사에서 지원이 된다고 하니 돈 쓸 일이 없어서 물질을 모을 수가 있었다.

드디어 난생처음 비행기를 타고 머나먼 나라로 떠나게 되었다.

공항에 도착하는데 어느 집사님께서 성경책을 보따리 속에 숨겨서 잘 통과하게 해 달라고 기도하는 모습을 보게 되었다.

나는 엄청 교육을 받고 처음 나가는 거라 성경책은 가지고 갈 생각도 하지 않았는데…. 그 집사님의 믿음에 괜스레 부끄러워 어찌할 바를 몰랐었다.

보통은 도착하는 날은 캠프에서 쉬고 그다음 날부터 출근하여 일하게 되어있다고 들었는데, 나는 어찌 된 일인지 바로 호출을 받아야만 했다.

일이 산더미 같이 쌓여 있다는 얘기였다.

전임자가 출국하고 몇 개월 만에 후임자 오게 되었다고 하면서 미안하지만 도착한 날부터 일 좀 해 달라는 것이었다.

회사는 주베일항만 가까운 곳에 바닷물을 정수하여 사용할 수 있는 물을 만드는 대단위 프로젝트를 시행하고 있었다.

건물이 올라가고 담수화 공장이 들어서는 게 눈에

보이는 일이라면,

건물이 올라가는 것만큼 서류가 작성되어야 그때그때 대금을 받는 시스템이었다.

열심히 영타를 두들겨댔다.

낮엔 더우므로 새벽에 나와서 일을 하고 낮엔 한 시간 자고,

오후에 일찍 퇴근하였다.

주말엔 2시간 정도 자동차로 달려 담맘이라는 곳에 한인교회로 나가게 되었다.

신학교 다니다 왔다고 교육전도사로 일하라고 하여 처음 사역지가 되었다.

13개월이 눈 깜짝할 사이에 지나갔다.

드디어 고국으로 돌아오는 날이 되었다.

짐을 다 싸고 오후에 돌아갈 비행기 시간을 기다리는데, 누군가가 헐레벌떡 달려와서는 타자기가 고장 나고 급히 보내야 할 서류가 있다고 좀 해주고 가면 안 되냐는 것이었다.

진짜 일복이 많은 사람은 쉬지 못하는 가보다.

한숨에 달려가 고쳐주고 바로 문서 작성하여 올려보내 주고 나니 비행장에 나갈 시간이 되었다.

일할 수 있는 복이 얼마나 행복한지가 그때나 지금이나 같이 느껴지는 것은 어찌 된 까닭일까?

가내공업을 통하여

마포구 망원동에 라디오 부속품을 손 프레스(돌아
가면서 물건을 찍어내는 기계)로 찍어 내는 일을
주로는 집에서 하는 작업장에 다닌 적이 있다.
작은 네모난 상자 뚜껑 같은 것을 손바닥으로 프레
스를 돌리면서 온종일 앉아서 찍어 내는 작업이었다.
돌리는 손바닥은 언제나 거북이 등처럼 부풀어 올
라 갈라지기에 십상이었다.
왼쪽 넓은 판 속에는 프레스에 들어가기를 기다리
는 것들이 산더미처럼 쌓여 있고 거기에서 하나하
나 들어 올려 프레스로 찍고 앞쪽 통으로 던져 넣
는 일이었다.
숙달되면 속도가 붙어 프레스의 회전대가 멈추지
않고 끊임없이 돌아갈 수도 있었다.
라디오 부속품을 찍어 내면서
라디오에서 흘러나오는 음악 소리에 귀를 맡기고
돌리고 돌리다 보면 어느새 집에 갈 시간이다.
여기서 같이 일하는 친구의 동생(남양주에서 목회)
이 소개하는 망원제일교회를 만나게 되었고 그곳의
이상 양 전도사님이 세우신 야학에 들어가 공부할
기회도 얻게 되었다.
낮엔 열심히 프레스를 돌리고
밤엔 교회 야학에서 대학생 선생님들의 헌신으로

열심히 공부할 수 있는 행복한 시간이 흘러갔다.

학급에서 앞쪽에 앉은 누나 같은 여학생이 늘 잘난 척을 하며 대답도 잘하고 비싼 옷도 입고 다니고 해서 괜스레 미워하고 있었던 어느 날이었다.

구멍 난 양말을 신은 나에게 자기 집에 한번 놀러 오라는 것이다.

약속된 날이 되어 그 누나의 집에 방문하게 되었다. 2층으로 된 양옥집이었고 으리으리했다.

고급 목재 같은 것이 바닥에 깔렸었고 2층으로 올라가는 계단 왼편 위로 손잡이 시작을 알리는 동그란 모양의 돌출은 위엄 있어 보였다.

당시에 숫자와 영어로 새겨진 검은색 전화기가 있는 엄청난 부잣집이 분명해 보였다.

서랍을 열더니 고급스러운 양말 하나를 꺼내더니 갈아 신으라고 하는 게 아닌가?

이것저것 맛있게 먹고 큰 집 실컷 구경하고,

'누나는 굉장히 행복하겠구나!

이 큰 집에서 부자로 사니 말이다' 라고 생각하였다.

이제 일어나야겠다고 하자 누나가 손을 내밀었다.

내 손이 쑥 하고 딸려 나가서 악수하는데 누나 손이 프레스 돌려 굳은살이 배길 대로 배긴 내 손보다 더 큰 굳은살과 쫙쫙 갈라진 손이 아니던가?

누나는 이 집의 식모라고 하였다.

궂은일은 다 도맡아 하며 특히 힘든 손빨래를 많이

해서 그렇다고 했다.

집을 나오면서 한참이나 울었다.

그 누나를 미워했던 날들이 떠오르면서.

그 손의 감각을 떠 올리면서.

그 손은 십자가에 달리신 주님의 손 같은 것이라는 생각이 밀물처럼 다가왔다.

내가 그렇게 미워하던 그분은 나를 가장 잘 알고 가장 사랑하는 분이라는 사실을 일깨워 준 놀라운 사건이었다.

그분의 손을 바라보며 오늘을 어떻게 살아야 할까를 생각해 본다.

하늘을 나는 하얀 마음

서울 마포구 망원동에 동승통상으로 기억되는 배드민턴 공을 만드는 회사에 야학하면서 다닌 적이 있었다.

먼저 닭 농장에 가서 닭털을 사들여서 피 묻은 것과 때를 제거하기 위해 깨끗이 씻은 다음 닭털 중간뼈대의 굴곡에 따라 쭉 뻗은 것과 오른쪽으로 휜 것 왼쪽으로 휜 것을 구별해서 작업한 뒤에 작업장으로 가져가서 적당한 크기로 재단을 해놓는다.

코르크 마개 같은 연한 나무 소재를 둥그런 쪽을 놔두고 오른쪽을 일정한 간격으로 자른다. 이때 코르크나무 먼지가 심하므로 마스크를 꼭 쓰고 작업에 임해야만 했다.

잘린 둥근 코르크나무에 하얗고 얇은 가죽을 기계적으로 밀어 넣어 씌우게 된다.

그 후에 동그랗게 닭털 꽂을 구멍을 뚫어주고 닭털을 휘어짐의 각도에 빙둘러 꽂아주고 닭털 밑동 가지들을 재봉틀 작업으로 연결해준다.

공기 압축기에서 뿜어내는 접착제로 잘 붙게 골고루 뿌려주고 고속도로 휴게소의 식판 반납하는 곳처럼 생긴 모양의 날 판에 잘 놓고 몇 시간을 골고루 잘 마르도록 몇 시간을 기다리게 된다.

거기서 나오면 파란색이나 검은색 테이프를 코르크

와 깃털 사이를 잡아주고 구분해주는 용도로 멋지게 둘러준다.

그리고 둥그런 깃털 안쪽으로 보면 코르크나무가 그대로 보이는 것을 볼 수 있다.

앙증맞은 두 개의 접시 거울에 왼쪽엔 기준이 되는 무게를 올려놓고 오른쪽엔 배드민턴 공을 올려놓고 왼쪽과 같은 무게가 되도록 작은 나사를 코르크 안쪽에 드라이버로 심어주고 라벨을 붙이면 기본작업은 완성된다.

둥그렇고 긴 통에 10개씩 공을 넣어준다.

다 끝난 게 아니다.

테스트 공정이 남아 있었다.

당시 홍제동의 서울여상에 가면 넓은 체육관이 하나 있었다.

탁구부로 유명했기에 열심히 운동하다가 저희가 오면 말끔하게 정리된 넓은 공간을 제공하였다.

그 넓은 공간에서 배드민턴 선수 생활을 하신 분이 손에서부터 팔목 어깨를 타고 목까지 차도록 배드민턴 공을 쌓고 하나씩 내보내며 오른손의 라켓으로 따발총을 쏘듯 연속으로 쭉 뻗어 나가도록

하얀 깃털의 공을 뿜어내는 것이다.

저 멀리서 한 사람은 날아오는 공의 흔들림과 상태를 바라보고

라켓을 휘두르면서 왼쪽 옆 오른쪽 옆머리 뒤쪽과

정면 등에 공을 나누어서 떨어지도록 열심히 공을 선별하는 것이다.

이렇게 그 넓은 체육관에 공들이 네 군데로 나누어 져 있게 되고

그분들은 식사하고 올 테니 잘 정리해 놓으라 했다.

추운 날 그렇게 넓게 보이는 공간에서 배드민턴 공을 그룹별로 모아 통에 넣는 길고 긴 작업을 홀로 하고 있었다.

어디선가 피아노 선율로 엘리제를 위하여와 소녀의 기도가 들려오는 것이 아닌가.

체육관 정면에 높고 넓은 강당엔 검은색 피아노 한 대가 놓여 있었고 한 소녀가 피아노를 치기 시작한 것이다.

춥고 배고프고 산더미 같이 쌓인 일을 외로이 홀로 하고 있던 나의 마음에 한 줄기 빛과 같은 선율이 었다.

음악에 맞춰 일하니 어느새 끝났는지도 모르게 일을 마칠 수가 있었다.

그 하얀 마음으로 피아노를 쳐준 소녀의 기운이 가득 담긴 아름다운 배드민턴 공이 세계의 창공에서 아름다운 체육관들에서 힘차게 하늘을 날고 있다.

하늘을 나는 하얀 마음으로 세상을 환하게 밝히며 살아가야겠다.

하늘을 향하여 곱게 누워 명령을 기다리는 고운 활

자들.

서울시청 건너편 프라자호텔 뒤를 북창동 골목으로 부른다.

그곳에 타자기와 복사기를 팔기도 수리도 해주는 삼양사무기 상사가 있었다.

기술을 배워야 한다는 막연한 조언으로 들어간 곳이다.

주로 하는 일이 기술자들의 라면을 끓이는 일이었고 기술자들의 요구하는 공구를 제때에 바로바로 갖다 바치는 일이었다.

이따금 출장 수리를 나갈 때는 공구함을 들어주는 게 주 임무였다.

조금 지나서 타자기 청소를 하게 되었다.

건물 옥상에서 타자기 부속을 모두 해체하고

알코올과 기름으로 닦아 내는 작업이었다.

활자들 사이로 찌든 때와 부속품 중간마다 있는 먼지를 일일이 닦아 내야만 했다.

타자기 활자는 청소를 마치고 바라보면….

하늘을 향해 가지런히 누워서

누군가 자판을 튕겨주면 연결된 링크를 따라 올라와서는 둥글대(활자가 때려주는 곳)를 쳐줌으로 한 음소가 완성되는 것이었다.

그 활자가 위쪽 부분이 잘 안 보이면 납땜으로 윗부분이 조금 앞으로 나가게 하여 정확한 글자가 찍히도록 하는 게 가장 기본 기술이었다.

글자가 쳐지면 한 칸 왼쪽으로 밀어주고 더 못 가
도록 잡아주는 장치가 타자기의 핵심이었다.

타자기의 처음부터 끝까지 모두 뜯었다가 모두 조
립하는 일은 무척이나 재미난 작업이었다.

수리가 끝난 타자기 중에 당시 레밍턴, 언더우드라
고 하는 타자기는 엄청 크고 무거웠다.

가까운 곳은 어깨에 메고 갔고 좀 떨어진 곳은 지
게 지시는 분들에게 맡기기도 하였다.

타자기는 모두 연결 연결되어 있고 활자의 모양에
따라 종류도 다양했다.

자음 모음으로 이어지는 글자 구성에 따라 두벌식
네벌식 공병우식·이원익식 등등이 있었다.

탁탁 치면 검은 둥글대가 한 칸씩 밀리면서 나아가
는 모습이 멋졌다.

곱게 누운 활자들은 언제나 명령을 기다렸다 바로
글자들을 만들면서 옆으로 이동하였다.

전동타자기는 전기를 이용해 좀 더 쉽게 터치할 수
있고 리턴 키를 누르면 길고 검은 둥글대가 한 번
에 찍하고 오른쪽으로 한 칸 올라가면서 이동한다.

볼 타자기는 둥그런 불같은 곳에 활자가 여기저기
붙어 있는 전동타자기이다.

일반 타자기는 오고가다 서로 부딪히기도 엉키기도
하지만, 볼타자기는 볼이 위·아래. 좌·우로 돌면
서 활자를 찍어주니 전혀 엉킴 없이 바로 바로 앞

으로 나아갈 수가 있었다.

크로바타자기는 작은 한글 타자기인데 연습용이고 스미스코로나(사진)타자기가 당시 가장 많이 쓰인 한글 타자기였다.

오늘 우리도 언제나 하늘을 향하여 누워있다가 명령이 떨어지면 즉시 시행하는 활자처럼 멋지고 빛나게 새겨지는 인생이 되었으면 좋겠다.

주산.부기.타자학원 이야기

홍제동의 유명한 유진상가에서 시내 쪽으로 오다보면 우측에 주유소가 하나 있는 데 그 옆 건물에 홍제 주산.부기.타자학원이 있었다.
그곳에 타자 강사로 수업을 하게 된 때가 있었다.
사실 타자는 팝송 크게 틀어 놓고 기본기만 가르쳐 주고 열심히 두드리라하면 되고 한글. 영문서식 나올 때 좀 잡아주면 되는 수업방식이라 즐겁게 수업하면 그만이다.
당시엔 자기 분야뿐 아니라
다른 과목도 어느 정도 할 수 있어서 강사가 수업할 수 없는 날엔 대타로 나서기도 했다.
주산은 오원이요, 칠원이요 하면서 계속 불러줘야 하고 특히 암산을 가르칠 때는 머리 속에 주판을 그리고 올라가고 내리고를 잔상으로 남기는 방법인데 앞 수를 먼저하고 뒷 수를 더하거나 빼는 게 중요한 키였다.
안산초등학교에 주산 강사로
수업을 나간 적이 있었는데
애들보고 문제 풀라 해놓고 교실에 놓인 풍금의 페달을 밟아 복음송 쳐보다가 수업 후 교장선생님께 혼난 적도 있었다.
부기는 대차대조표를 중심으로 차변과 대변을 맞추

는 강의인데 맨 뒤에 앉아서 열심히 들었더니

어느 정도 감이 오게 되어 검정고시 볼 때 상업과목에 좋은 영향을 주기도 했다.

특히 부기 강사의 열정적 설명으로 2시간 가까이 수업 진행을 하는 것을 보면서 저렇게 수업해야 하겠고

성경을 가르칠 때도 2~3시간을 안 보고 설명할 수 있는 실력을 갖춰야겠다고 생각했다.

강사라는 일은 자기 분야에 베테랑이 돼야 하기에 자부심들이 대단했던 게 사실이었다.

서울여상. 예일여고(상과. 취업반)

동명여고(취업반). 동구여상 등등의 학생들이 대다수를 이뤘는데

특히 기억나는 학생은 여영학(가명)이라는 학생인데 삼각형의 서울여상 배지를 곱게 달고 총기 가득한 눈빛으로 세상의 모든 것을 담으려는 적극적인 삶의 자세를 가진 것으로 기억되며

처언숙.이임연(가명)이라는 학생들은 나를 삼촌으로 부르며 지금도 연락되는 성실한 제자들이다.

경상도에서 온 한 아가씨가 서울에서 직장 잡겠다고 열심히 다니면서 옥상에서 세상을 향해 외쳤던 쩌렁쩌렁한 소리는 언제나 자신감으로 충만한 모습 그 자체였다.

남학생들도 종종 있어서 군 행정병 요원과 취업 나

아가 강사지망생도 있었다.

학교를 제대로 다니지 못한 나에게 이곳에서 삶은 상고를 다니는 효과가 나도록 훈련해주시는 그분의 따스한 손길을 한없이 맛보는 시간이었다.

나는 검정고시를 준비하면서 인문계고등학교를 졸업한 효과를 맛보고

공장들을 다니면서 공업계 고등학교를 졸업한 효과를 맛보며

주산. 부기. 타자학원에 다니면서

나 자신이 상고를 졸업한 효과를 맛보았다.

공부에 한이 맺혔는지 원 없이 공부시켜주시는 하나님의 응답이었다.

그래서 기도를 잘 해야 한다.

하나님께서 응답을 폭포수처럼 주시면 감당이 안 되기 때문이다.

목회자와 일터 이야기

신월동 목회를 마무리하고 쉬는 동안 택시기사 자격증을 취득했다.

교인 중에 기사분이 몇 분 계셔서 애로 사항을 늘 들었는데, 쉬는 동안 제일 먼저 해보고 싶은 게 택시기사였다.

신월동 남부순환도로에 웬 택시회사들이 많았는지 모르겠다.

한 회사를 택해서 잠시 근무를 해 보았다.

새벽 4시 30분에 교대해서 서울 시내를 누볐다.

네비도 없는 상태에서 땀을 뻘뻘 내며 겨우겨우 진행하였고, 역시 제일 애로사항인 소변도 제대로 못 보며 달릴 때도 많았다는 것이다.

언제가 신월동에서 타신 손님이 조수석 앞에 붙은 내 사진을 보고 어디서 많이 본 사람 같다며 말을 건넸을 땐 '세상에 비슷한 사람이 많습니다.'라고 허허 웃어넘기기도 했다.

한번은 강남 어딘가에서 앞에 택시와 실랑이를 벌이다가 뒤에 서 있던 내 차로 다가와서는 저 앞차 운전사는 지리도 모르며 택시 한다고 말하는 것이었다. 나는 더 모르는 데 말이다. 큰일 난 거였다. 하지만 침착하게 '저도 시작한 지 얼마 안 되니 중간중간 알려주시면 고맙겠습니다.'라고 하니 신기하게도 내겐 친절히 잘 대해줘서 무사히 모셔다드린 적도 있었다.

아시는 분이 메르츠 화재 시험만 봐달라고 도와주는 마음으로 갔다가 화재보험 설계사가 되었다.

시흥동 까멜리아의 한 가게 사장님께서 사인까지 다 한 계약을 다음 날 전화 와서 취소하시는 게 아닌가?

시흥3동 공구상가를 돌고 돌며 전단을 뿌리며 수고했어도 쉽지 않은 계약들이었다.

새벽에 가산동 물류센터에 아르바이트하러 간 적이 있다. 끊임없이 지나가는 컨베이어 벨트 위로 쌀부대며 김치 상자며 택배 보낼 물건들을 올려놓는 일이었다.

허리가 끊어지는 듯했다.

여기도 역시 화장실 갈 시간도 없이 4시간 이내에 작업을 마쳐야 하기에 정신없이 돌아갔다.

나중에 아들이 하는 말이 그거 '극한아르바이트'야라고 알려주었다.

시급 받고 병원비가 더 나올 것 같았다.

독산역 앞 식자재 유통센터에서 잠시 일하게 된 적이 있다.

각종 식자재를 회사와 중량 개수를 맞춰 주문대로 상자에 넣고 포장하는 일이었다.

사각형의 큰 기름통을 여러 개 먼저 갖다 놓고 그 위에 상자를 포장해서 올려놓아야만 했다.

여기도 화장실만 다녀와도
CCTV로 다 보고 있는지 어디 갔다 왔냐고 물었다.
성도들의 피와 땀으로 귀하게 얻은 물질로 십일조
도 하고 헌금도 드리는 것이다.
무보수 목회자와 일목 목회자들이 많다.
열심히 일하며 섬기는 모습이 아름답다.
일의 소중함과 물질의 소중함도
깨달을 수 있는 좋은 시간이었다.
목회자의 검소한 생활이 몸에 배어 청빈한 삶으로
이어져야 하겠다.
목회자는 물질에 순수해야 하겠다.
오늘도 목양 일념이란 말이 크게 쓰여 있던 선배
목사님의 목양실의 글씨가 더욱 크게 다가오고 있다.

삶과 컴퓨터(전산) 이야기

컴퓨터와의 인연을 말할 때
나는 타자로부터 시작된다고 감히 말하지 않을 수
없다.
오늘의 전산에서 여전히 자판을 두드리고 있기 때
문이다.
타자기 수리, 타자학원 강사, 영문타자기, 한글 타
자기, 전동타자기, 볼 타자기, 초기 워드프로세서로
이어지는 전산의 발전기의 한복판에서 같은 시대를
지냈다고 볼 수 있다.
온양 어딘가에서 신도리코 워드프로세서 교육을 며
칠 받고 나온 때가 있었다.
당시만 해도 워드프로세서만 해도 타자기에서 할
수 없는 많은 일을 수행할 수 있는 고급 기능이 많
이 탑재되어 있었다.
사각 플로피디스크를 밀어 넣고 아래아한글을 칠
수 있는 8088 개인용 컴퓨터가 보급되기 시작하자
불티나게 팔렸다.
당시 나는 창성시스템이라는 현대전자 대리점에서
근무했던 터라, 이천 반도체공장(지금은 하이닉스)
에서 커다란 상자 꾸러미를 대형 트럭에 싣고 서울
로 향하는 차들을 많이 보았다.
집마다 컴퓨터를 들여놓고 설명을 들어야 하는 때

에 교육부서에서 있었던 나는 컴퓨터 설치와 교육을 담당했다.

그러던 중 대웅제약과의 제휴로 약국관리시스템이라는 프로그램을 개발하게 되어 전국 약국에 컴퓨터를 설치해줌과 동시에 교육을 해줘야 하는 일로 무척이나 바쁘게 뛰어다니면서 신학 공부를 계속할 수 있었다.

당시 강남에 KIST 출신이 운영하는 박영만 전산학원이 유명했었는데, 거기서 코볼과 클리퍼라는 언어로 프로그래밍을 하는 로직을 배웠는데 정말 꼼꼼하게 잘 지도했던 것 같았다.

내친김에 강도사 때 방송대 전자계산학과에 입학하여 공부를 제대로 해보자고 달려들었다.

1학년을 마칠 때쯤 주일날 꼭 시험을 봐야만 이다음 과정을 이어갈 수 있는 일이 지속해서 발생하므로 도저히 더는 감당할 수 없어서 중퇴하고 말았다.

8088는 286, 386, 486, 586. 으로 듀얼로 지속해서 발전하여 지금은 어디까지 갔는지도 모를 정도로 급속도로 빠른 시대를 살고 있다고 해도 과언이 아닐 것이다.

군대 친구가 근무하는 옛 상업은행 전산실을 방문한 적이 있는데, 모든 전선이 바닥에 다 깔렸고 말끔한 전산실의 수많은 불빛이 우주 세계의 은하수 같은 모습으로 내게 비춰주고 있었다. 당시 친구와

난 이런 이야기를 나눈 적이 있다.

우리가 과연 뭐 하는 사람들인가, 온종일 전산에 파묻혀 프로그램 짜고, 프로그램 로직 중 어디가 잘못되었는지 한자라도 틀리면 엉뚱한 에러가 나오고 하니 눈이 빨갛게 쳐다보고 있어야 하고. 뭔가 잘못된 것 같다. 이대로 있다가는 전산실에 파묻혀 사는 것은 아닌지 모르겠다는 대화였다.

얼마 후 그 친구는 모든 것을 뒤로하고 평신도 선교사가 되어 미국으로 건너가 공부한 후 지금은 중국선 교사로 열심히 사역을 잘 감당하고 있다.

나도 전산 쪽의 일을 정리하고 신학에만 전념하기로 하고 사우디에 갔다 온 이후 기숙사에 들어가 신학에만 정진하였다.

그러던 중 영어공부를 접하게 되어 8구조원리영어를 가르치며 전산은 거의 잊혀가고 도스에서 윈도우 아이콘으로 로터스, 데이터베이스에서 엑셀로의 변화 속에 너무나 어려워진 모습으로 다가왔다.

그래도 다음카페, 네이버 카페, 블로그 등을 통해 세상과 소통을 조금씩 하고 있던 차에. 마을에서 마을방송국으로 영상편집 등을 다시 접하면서 자연스럽게 컴퓨터와 화해하는 손길을 내밀 수가 있게 되었다.

노회 다음카페를 만들어 서류를 주고받고 촬요를 1주일 전에 올려서 모두가 보고 고칠 것을 고치고 하는 앞서가는 서울서노회로 만들었는데, 어느 날 노회 회의에서는 카페라는 말이 커피 마시는 카페인 줄 알고 다 없애버리라고 하는 얘기도 듣는 에피소드도 있었다.

한때 호산나 카페가 있었는데, 그곳에 많은 글과 시를 써 놓았는데….

한동안 안 들어갔더니 어느새 호산나 카페 자체가 사라져 버렸다.

너무나 아까운 자료들인데….

사우디에 갔다 오니 많은 책이 사라지고, 양평에 갖다 놓았던 책들이며, 가운이며 굴착기로 리모델링한다하며 거의 잃어버린 경험들이 있어서 그런지 사라지는 것들. 잃어버린 것들에 대한 미련은 금방 떨쳐 버릴 수 있게 되었다.

잃어버림, 사라짐에는 그분의 뜻이 들어있음을 알 수 있다. 지니고 있으면 집착이 되지만 잃어버리므로 놓게 되면 다 잊어버리고 새로이 시작할 수 있는 원점의 힘을 공급받을 수 있는 통로가 되기도 하는 것임을 알았기 때문이다.

이제는 밴드를 통해 목회자들과 마을 사람들과 페북과 인스타그램을 통해 세계 사람들과 만남을 통해 소통하고 있는 것이 소중한 일상이 된 것도 우연은 아닐 것이다.

어느 날 합동총회에서 모바일로 총회의 각 개교회

가 가입하여 하나로 움직이게 되었다는 CTS 방송을 보고 그 날로 그 개발자를 찾았다.

퍼스트무버라는 개발업체였음을 발견하고 바로 전화해서 우리 대신에도 모바일 홈페이지를 갖게 해달라고 부탁했더니 흔쾌히 허락하여, 총회 임원들도 모두 기뻐하며 합동 다음으로 두 번째로 우리 대신이 모바일 홈페이지개발에 착수하여 지난해에 시행착오를 거쳐 모바일 PC 연동형 홈페이지를 거의 완성단계에 와 있다.

본사가 대구에 있어서 만나기도 힘든데 많은 예산을 들여 우리 대신의 위상을 높여줄 모바일 PC 연동형 홈페이지를 만들어 주고, 네이버 검색에 올려주고 하는 모든 것을 무상으로 하고 잠금 화면이라는 것과 광고수익으로 충당하고 모든 교회와 목회자분들에게는 무상으로 가입할 수 있도록 해주는 놀라운 시스템이다.

이것이 완성되면 우리가 모두 가입하여 모바일 홈페이지를 가지고 선교의 도구와 복음증거의 도구로 사용하면 좋을 것 같다.

총회도, 노회도 종이를 없애고 전산으로 일들이 처리되는 행정을 도입하여, 나아가는 앞서가는 대신 총회와 노회가 되었으면 한다.

Part 6

코로나 19 아침 묵상

이웃 이야기

맑고 순전한 유아들의 눈망울 이야기

신월동 목회를 그만두게 되니
할 수 있는 일이라곤 운전하는 일밖에 없는 듯하였다.
양평과 서울을 오가며 목회현장에서 떠나게 되니
물질적으로 무척이나 힘들게 되었다,
지역 신문을 꼼꼼히 살펴보는데 금천구 시흥3동의
한 어린이집에서 기사를 모집한다는 문구를 보고
달려갔다.
믿음 좋으신 원장님을 만나 일을 시작할 수 있게
되었다.
시흥3동과 공구상가, 시흥5동, 시흥1동까지 노란 차
가 골목골목을 달렸다.
지나가는 시간에 영어라도 들어야겠다고 생각하여
항상 영어회화를 틀어 놓았더니
학부모들이 다들 좋아하시는 게 아닌가(?)
나 좋다고 틀어 놓은 게 너무나 교육에 좋은 기사
분을 만나게 됐다는 말도 듣게 되었다.
운행하고 쉬는 시간에는 구조영어에 관한 공부를
집중할 수 있었다.
오후 쉬는 시간엔 원장님과 몇몇 학부모 자녀의 자
녀들에게 주산과 암산 그리고 영어를 조금 가르쳤
더니 반응이 좋게 되어 너도나도 가르쳐 달라는 말
도 듣게 되었다.

어린이집 기사로 초야에 묻혀 있어서 노회도 못 나가고 있던 어느 날 수정교회 목사님께서
어떻게 지내냐는 안부 전화가 와서 참 고마움을 느꼈다.
2년여 동안의 기간에 만난 유아들의 영롱한 눈빛과 맑고 순전한 마음과 실핏줄 살갗들.
그 순전한 어린 생명을 위해
기도하며 운전하는 기쁨도 맛보았다.
주산. 영어 가르쳐 달라고 하는 어린이들이 점점 늘어나 15명 가까이 되어 도저히 거기서는 가르칠 수가 없었다.
시흥1동 현대시장 (구)건물 1층에 200만 원에 20만 원 내고 5평 정도에 해법 영어교실 지점을 내고 영어를 가르쳐보기로 하고 준비에 들어갔다.
어린이집을 떠나오기 전에 어린아이들 한 사람 한 사람에 대해 시를 한편씩 써서 원장님께 드리고 시흥1동으로 옮기게 되었다.
본격적 시흥1동의 삶이 시작되어 생명수교회로의 새 출발을 열 수 있는 기반이 하나씩 쌓여가고 있었다.
모든 인도하심에는 그분의 뜻을 어렴풋이 열어주시는 그 길만이 조금 보일 뿐이었다.

대한예수교장로회 대신, 서울서노회 이야기

내가 서울서노회를 처음 만난 것은 당산동 소망교회(김학 목사님)에서 전도사를 시작할 때이다.

전도사로서 노회의 연합수련회 충북 괴산에 갔을 때 임시화장실을 만들어 놓고 쌍곡계곡의 많은 물소리와 함께 수련회를 하던 서울서노회의 연합수련회와 여전도연합회의 찬양페스티벌과 목회자 체육대회를 해마다 열면서 서울서노회는 힘 있고 멋진 팀웍을 자랑하는 노회로 거듭성장하였다.

서울서노회에서 강도사인허를 거쳐 목사안수(1996. 11. 9.)를 받게 되어 완전 서울서노회 맨이 되었다. 목회자수양회를 노회 끝나면 바로 출발하는 것이 기본이 되었다. 속초로, 경주로, 섬으로 전국을 헤집고 다닌 듯했다.

노회장을 지내신 목사님들을 만나서 많은 것을 배우게 되었다. 개개의 목사님들께서는 저마다 자신의 고유한 특장점이 있어서 큰 배움의 거울이 되어주었다.

울릉도로 목회자 수양회를 갔을 때에는, 방어를 손낚시로 잡아 회를 떠서 먹어본 놀라운 기억과 다음날 몇몇 목사님들을 깨워서 성인봉에 기어이 올라갔던 행복한 순간들이 기억에 생생하다.

조용히 뒤에서 도와주시던 장로님들로부터도 많은 것을 깨닫게 해주시는 고마운 분들이다.

원어에 깊이가 있으셨던 유재선 목사님의 구수한 소리가 오늘도 귓가에 다소곳이 다가오는 듯하기도 한다.

안양대 학부 및 신대원생들과 대신총회신학연구원 등을 통해 보다 많은 목회자 후보생들을 길러내어 서울서노회의 무궁한 발전을 위해 기도하며 하나 되기를 힘써야 하겠다.

신정동의 브리스길라와 아굴라 이야기

10여 년째 해마다 명절을 앞둔 어느 날엔가는 어김 없이 소박한 선물보자기를 들고 '목사님'하고 올 라오시는 부부 집사님이 계신다.

브리스길라와 같은 여집사님은 목동의 한 교회에서 성경공부를 같이하게 되면서 만났는데 신학도 하고 서울서노회 손종도 목사님 시무하시던 교회에서 신 앙생활을 했다고 했다.

딸 둘과 아들 하나를 두었는데

8구조원리영어를 소개받고

나를 가정으로 초대해서 여집사님과 두 딸이 1년 이상 공부를 재밌게 배웠으며 아들은 우리 교회로 보내 공부를 하게 했다.

그 일이 인연이 되어 해마다 명절 때면 선물이 문 제가 아니고 그간 어떻게 지냈는지 서로간의 안부 를 묻고 신앙의 대화를 나누고 식사같이 하고 기도 하고 헤어지는 명절의 일상이 된 것이다.

한 자녀를 신학교에 보내기도 어려운데 세 자녀 모 두 신학교를 보낸 것만으로도 이 부부의 신앙의 모 습과 모범적 삶을 읽을 수 있는 대목이다.

큰 딸은 신학과 졸업하고 둘째 딸은 종교음악과(피 아노전공) 아들 역시 신학과에 재학 중이다.

특히 아들은 작년에 성서대학도 붙고 안양대도 붙

었는데 내가 강력하게 조언하여 안양대에 입학을 결정하게 되었다.

바로 그다음 날 학교가 대순진리회로 넘어간다는 소문을 듣고 어찌할까 고민할 때에 나는 오히려 그럴 때 이 아들이 학교에 가면 분명 지도력이 발휘될 거고 어려움을 헤쳐 나가면서 접하는 살아있는 신학을 할 수 있다고 했다.

그것이 통했는지 최종 결정을 안양대 확정하여 입학하였다.

아닌 게 아니라 입학하자마자 연일 불거지는 학교 사태에 그 아들이 학교에서 자며 좋은 선배와 학우를 만나 열심히 데모도 하고 공부도 하여 지난 학기엔 장학금도 받았다는 소식을 접할 수 있었다.

어려운 문제를 회피함이 아니라 맞닥뜨려 헤쳐 나갈 힘을 달라며 기도하며 나아가는 신앙을 통한 신학을 하게 된 것이었다.

브리스길라 같은 여집사님의 조카분이 자그마한 식당을 개업하면서 우리 교회에 1달에 한 번 반찬으로 섬기는 일을 1년 반 정도를 애써주셨다.

주일 아침 일찍이 우리 교회에 와서 음식을 제공하고 자신이 섬기는 교회로 달려가는 것이었다.

아굴라와 같은 남 집사님께서는 높은 지게차로 사업을 하시면서

교회에서 찬양 인도로 봉사로 섬기시는 분이다.

우리 교회의 간판도 옮겨 달아주시고 이런저런 간판을 제작하여 부착까지 해 주시는 수고를 아끼지 아니하였다.

100여 개의 개척교회에 간판을 해드릴 힘을 달라고 기도하며 나아가시는 집사님이다.

자녀들과 함께 복음증거의 가정이요 교회도 2개를 세워드리고 100여 개 교회 이상에 지원할 수 있는 것을 비전으로 삼고 기도하며 나아가는 복된 가정이다.

두 부부 집사님의 말씀에 대한 열정과 깊이는 두말할 것도 없이 두드러지며 특히 작은 교회를 일부러 찾아 사명으로 섬기시는 모습에.

감히 신정동의 브리스길라와 아굴라 부부라고 불러보기를 주저하지 않으며 그 사역의 비전을 위해 기도합니다.

놀이가 창의력의 최고봉이다

유치원도 학원도 다녀본 적이 없다. 하지만 실컷 놀았다.

그 놀음 속에 많은 배움과 깨달음이 들어있었다.

공부는 많이 노는 것이다.

구슬치기, 딱지치기, 사방치기, 팽이 돌리기, 자치기, 말뚝박기, 얼음땡, 무궁화 꽃이 피었습니다 등등 많은 이들이 한 번쯤은 해본 기억이 있을 것이다.

내가 어렸을 적 가장 재밌고 많이 했던 놀이가 찡 잡기라는 게 있는데 잘 소개되어 있지 않았다.

이 놀이는 양쪽에 전봇대를 지키고 점수가 올라가는 게인데, 두 팀으로 나뉘어서 각자에게 점수를 부여한 다음 둘, 셋이 손을 잡고 나가면 상대방도 둘, 셋 나와 서로 치게 되면 높은 점수의 팀이 많은 점수를 얻고 나아가 상대방 전봇대를 터치하면서 찡이라는 소리를 내면 게임이 종료되는 것이다.

상대방의 수가 몇 점짜리 사람인지와 손을 잡은 사람과의 합산이 얼마인지 그리고 둘, 셋이서 함께 뛰어다녀야 하므로 무척이나 다이내믹한 놀이였다.

효창공원을 중심으로 주 놀이터가 되어 맘껏 뛰놀았다. 이슬 맞은 풀들을 묶어 놓고 동네 아이들 불러모아 달리게 하면 많은 이들이 걸려 넘어지는 게임으로 하루를 시작하여 자치기로 시간 가는 줄 모르다가 자기 이름을 멀리서 부르는 어머니의 소리를 듣고서야 집으로 돌아가곤 했다.

버스를 타고 세검정까지 가서 맑은 물에 수영하고, 서울역에 가서 기차 타고 행주산성 개구멍으로 들어가 놀다 오기도 하고, 일산의 한 개울가에서 수영을 마음껏 즐기다 돌아오기도 하였다.

형들의 회수권(버스승차표)을 몇 장 얻으면 교회 친구와 함께 명동에 나가 백화점이란 백화점을 온통 옥상부터 시작하여 아래층까지 깔깔대며 내려오는 재미는 해 본 사람만이 느낄 수 있을 것이다.

기차를 타면 통로에 있는 난간의 손잡이를 잡고 머리 휘날리며 달릴 때 기차가 곡선을 달리면 기차머리와 꼬리를 볼 수 있는 위치에 있을 때의 상쾌함도 느껴본 자만 알 것이다.

골목길이 하도 추워서 '시베리아 골목'으로 이름 짓고 한겨울에도 나와서 골목길 축구는 방학 때의 긴 하루를 채워주기에 충분하였다.

공덕동 언덕배기에 있는 작은 집에는 주인집에서 키우는 박넝쿨과 각종 채소를 바라보아야만 집을 드나들 수 있게 하였고, 명절 때면 양쪽 대청마루 같은 곳에서 만두속을 한 움큼 떼어 만두피에 올려놓고 누가 예쁘게 마느냐를 봐주던 예쁜 집이었다. 주인집 아주머니는 안티프라민을 최고의 약으로 알아 모든 병에 바르면 된다고 늘 강조하는 바람에 한 때 그 약을 상비약으로 가지고 다닌 적도 있었다.

공덕동 골목길에는 연일 동네 친구들이 나와 공차기를 하였다. 특히 축구공으로 벽을 치고 상대를 따돌리고 가야 하는 골목길 축구의 묘미는 최고였다.

그런데도 뭐라 하는 사람도 없었다. 그저 신나게 노는 것이 당시 문화였기 때문일 것이다.

지나가는 어른들은 오히려 손뼉을 쳐주고 잘한다 해주었다. 더욱 신나 맘껏 뛰놀았다.

40계단을 사이에 두고 윗마을 아랫마을 해서 싸움도 자주 했다.

양쪽 대표가 효창공원에 모여 대표끼리 겨루어 승리를 결정하기도 했다.

코피가 나면 지는 것이다. 싸움도 멋진 놀이로 승화시켜 놀았다.

마포대교에 기찻길은 좋은 놀이터이었다.

한때는 물난리가 나서 배를 타고 건너기도 했던 마포대교 그 위로는 기찻길이 하염없이 펼쳐져 있었다.

넝마주위의 망태에 뭘 던져놓고 도망가다 걸려서 실컷 두들겨 맞은 기억들. 부잣집 초인종 누르고 며칠 도망가다가 어느 날 문 앞에서 '탁' 치고 나와서 세 친구가 걸려서 두 손 들고 1시간 무릎 꿇고 있다가 나온 일들.

마포나루에서 쪽배를 타고 여의도 땅콩밭으로 놀러 간 일, 마포종점에서 전차 타 본 일등은 너무 오래된 일이라 가물가물하기도 한다.

효창운동장에서 축구경기가 있던 날 하수구 안의 커다란 둥근 시멘트 밑으로 물이 흐르는 곳을 무슨 특공대나 된 것처럼 저벅저벅 지나 맨홀 뚜껑을 열어 축구 골대 뒤편으로 나와 경기를 맘껏 보던 일, 겨울에 효창공원은 스케이트장으로 변했는데, 스케이트를 빌려서 커다란 원형 시멘트 무더기를 타고 올라가서 담벼락에서 뛰어내리다 걸려서 그 넓은 운동장의 관중석을 2시간 청소하고 스케이트 맘껏 타고 돌아가라는 인심 좋은 사람들과의 만남.

효창공원이 좁아, 원효대사가 서 있는 공원으로 빠져나와 숙대입구를 향해가다가 쌍굴다리를 지나 남산까지 가야 우리의 놀이터가 형성되었던 폭넓은 장소를 놀이문화로 지닌 효창공원 57번 종점 골목 친구들.

놀 줄도 알아야 공부도 할 줄 안다는 말이 참 좋은 거 같다.

모든 창의력은 놀면서 형성된다고 과언은 아닌 것 같다.

우리의 자녀. 손자. 손녀들을 마음껏 놀게 해 주자 교회도 함께 놀면서 아주 친해지고 이해하게 되고 소통하게 된다.

얼마만큼 같이 놀았느냐가 상대방과 친한 정도의 사람이 되어있는 것을 알 수 있다. 비대면으로 만난 사람, 짧은 시간 대화한 사람, 긴 대화를 나눈 사람, 속에 있는 말을 나눈 사람, 식사를 같이 한 사람, 숙박하며 지낸 사람 모두가 점점 깊어져 가는 사람들의 모습이다.

오늘도 진정한 만남 속에 깊은 주님의 정을 나누며 살아가는 사람들과 많이 만나며 살아가면 좋겠다.

순수한 사람들을 그리며.

광야나눔선교회 이야기

메마른 광야에서 힘들게 삶을 살아가는 사람들과 나누며 살아가야겠다는
생각이 부교역자 생활하면서부터 들었다.
난곡동 꼭대기에서 할머니와 자녀 둘이서 어렵게 살아가고 있는 가정을 매주 찾아가서 살아가는 이야기를 듣고 서로 힘을 얻어 돌아오는 일로 선교회는 시작되었다.
가파른 언덕을 오를 때마다 우리의 삶의 무게가 쉽지 않음을 느낄 수 있었으며,
갈라지는 언덕을 오를 때마다 우리의 삶의 순간은 늘 선택지가 주어진다는 것을 느낄 수 있었다. 길을 가며, 언덕을 오르며, 사람을 만나며, 대화하며, 특히 어려움은 나눌수록 작아진다는 말이 실제로 와 닿는 일들이 선교회의 사역이었다.
간사분들과 회원들의 주머니를 털어 회비로 충당하여 나눔의 가정(봉천동2, 대방동2, 진관외동1)들을 지원하며 문서선교와 광야나눔의 집 지원 경기도의 신소망원의 정기적 방문을 지원하며
중동선교회를 후원하는 일등을 지속해서 해왔다.
이일에 회지(섬김과 나눔의 삶을 위하여...)도 만들어내는 예쁜 그림도 그려주고, 글도 써주고, 회비도 잘 내주고, 회계도 보아주고, 물품을 사주고, 옮겨

주고 짊어지고 날라주고, 많은 이야기를 풀어 내준 아름다운 동역자들이 있었다. 합정동의 원미천사(현주님품)와 최양천사(현미얀마선교사), 이혜천사(현세종시교사)등 10여 명의 간사가 협력해 주었고 많은 분이 이름도 빛도 없이 섬겨주셨다.

진관외동의 어려운 학생가정을 지원하기로 하고 매월 도움의 손길을 펼쳤다.

주변에 어려운 학생, 특히 학업에 어려운 청소년을 지속해서 지원하여

그 가정을 후원하는 일로 인하여 선교로 이어지는 사역이 바로 광야나눔선교회의 목적이었다.

적지 않은 청소년들이 작은 도움이라도 나눌 수 있었고, 간사들의 방문과 대화를 통해 고민을 털어놓기 시작했고, 밝아지는 모습을 통하여 보람을 느끼며, 나아가 가까운 교회로 인도되어 질 때면 더 큰 기쁨과 감사를 느꼈다.

이 광야나눔선교회가 늘사랑교회로, 생명수교회로 이어지고 있다고 해도 과언은 아닐 것이다.

광야나눔선교회에서 오랫동안 꿈꿔왔던 비전. 그것이 바로 생명수교회의 비전으로 고스란히 남아 있다. 더욱 많은 청소년에게 학업의 장을 마련해주고, 단순한 지원이 아닌 제대로 된 질 좋은 교육과 성장을 도와 올바른 그리스도인으로 세워지도록 협력하는 것이다.

생명수교회 시작도 청소년교육으로 시작되었다. 8구조원리영어를 통해서 일반학원에서 오랫동안 배워도 이해되지 않는 부분을 기본원리를 깨우치면서 공부할 수 있도록 주님 주신 지혜로 만들어진 구조 속에서 공부하니 많은 시간을 투자하지 않았는데도 효과는 월등하다고 많은 분이 고백해주는 것을 볼 수 있다.

병원과 마트가 24시로 운영되어 언제든지 급할 때 찾아가서 일을 볼 수 있는 것처럼 교회도 24시 교회가 요구되는 것이다. 늦은 밤에도 찾아갈 수 있는 교회, 언제나 열려있는 교회, 말씀과 기도와 찬양이 늘 넘치는 복되고 행복한 교회,

그것을 꿈으로 비전으로 삼고 광야나눔선교회와 생명수교회는 지금도 나아가고 있다.

메마른 사람들에게
시원케 되는 생명수를….
영적 호흡의 생명수를….
생명의 말씀 생명수를….
나눔의 생명수를….
공급하는 24시 교회를 오늘도 꿈꾸며 나아간다.

삶에서 만난 음악 이야기

나는 음악의 음정이나 박자에 있어서 지금도 어려운 음치, 박치 중 한 사람이다.

특히 CCM의 빠른 박자의 곡이나 못갖춘마디로 그것도 16분음표 등으로 시작하는 음악은 맞춰 부르기를 힘들어하는 사람이다.

중학교 음악 선생님으로 동그라미를 작곡하신 신기복 선생님을 만나면서 조금 음악에 눈을 뜨게 되었다. 잘하는 사람들만의 전유물이 음악이 아니고

생활의 많은 부분을 음악으로 만들어가고 들을 수 있으면 된다는 가르침이

큰 울림으로 다가와 자리 잡고 있다.

유리컵 8개를 준비하여 그 안에 물, 콩, 열매 등을 각각 조금씩 차이 나게 넣은 다음 컵 입구 둥그런 대를 막대로 때리면 8음계의 소리가 나서 악기가 되어 연주도 할 수 있는 상태가 되는 실험을 여러 번 하면서 음악이 이런 거 구나를 알게 되었던 때가 있었다.

망원제일교회 학생회 시절 양평의 국수교회로 수련회를 간 적이 있었다.

첫날 밤 집회에서 강사 목사님께서 오늘 밤에 은혜 받고 특송 부르고 싶은 학생은 앞으로 나와 은혜대로 부르라고 하셨다.

가슴이 콩닥콩닥 뛰기 시작했다. 마치 나를 부르는 것 같은 소리였다.

가슴이 점점 가파르게 뛰기 시작하고 마침내 손을 들고 앞으로 나가고야 말았다.

'멀리멀리 갔더니'를 부르겠다고 반주자에게 알려주고 전주를 들으며 노래 부를 준비하였다.

문제는 언제 들어갈지를 잘 모르는 것이었다. 한 박자, 두 박자를 놓치고 무조건 들어가서 부르기 시작했다.

킥킥대는 소리가 여기저기서 터져 나왔다. 음정도 불안하고, 음색도 그렇고.

웅성웅성 대며 이상한 분위기로 흘러갔다.

2절까지 어떻게 불렀는지도 모르겠다. 그런데 3절을 시작하려 하는데 거기 모인 모든 학생이 같이 따라 불러주는 것이었다.

큰 은혜가 되는 시간이 되었다. 하도 딱했는지 모두가 3절은 같이 불러준 것이었다.

나중에 안 사실이지만 다 틀리게 불렀는데, 왠지 모를 감동이 있어서 은혜로워 다 같이 부른 것이지, 결코 너무 못 불러 도와주려 한 것은 아니라고 하였다.

망원제일교회에 성가대에서 베이스를 맡아 부를 땐 많은 사람이 부르니 내 목소린 묻히니 어느 정도만 부르면 되었기에 용기 있게 부르기도 했다.

하지만 임천사집사님(지금 권사님)께서 반주하시면서 딱 나를 부르며 어디가 틀렸다고 다시 부르라는 소리를 많이 듣는 바람에 성가대 연습시간이 길어지기도 했다.

그러면서 많이 배운 것 같았다. 주일날 성가대석에 오르는 것 자체가 얼마나 영광이었는지 모른다. 내가 앉은 자리에 건너편 긴 창에 늘어져 있는 양쪽의 커튼 사이로 비치는 햇살이 언제나 나를 맑고도 밝게 비춰주고 있었다.

당산동 소망교회에서도 전도사 하면서도 성가대에 앉았다. 어느 해에 성탄절 얼마 남겨 놓지 않고 지휘자가 갑자기 그만두게 되었다. 엉겁결에 전도사인 내가 지휘봉을 잡게 되었다.

4박자와 3박자 지휘만을 급하게 배워 그해 성탄절 칸타타를 무사히(?) 지나갈 수 있었다.

그 이유는 당연히 바아안천사의 찬란한 반주 덕이었다.

신월동의 늘사랑교회의 전신인 일심교회의 김승욱 목사님께서는 전임 목사님으로 복음 송을 200여 곡을 작사·작곡하신 분으로 극동방송 복음성가대회에서 상도 받을 정도의 곡을 작곡할 정도로 음악의 대가이셨다.

그 교회에서 용감히(?) 목요찬양을 인도하며 받은 은혜는 너무나도 큰 것이었다.

화안겨미천사의 변주반주로 인도자에 맞춰주는 놀라운 반주자였다.

목회를 쉬며, 어린이집 운전하며 힘든 시기를 지날 때 써 둔 글을 부족하지만

곡으로 만들어 본 적이 있다. '주님~ 오늘도 절망의 자리에서 일어납니다'라는 곡인데 작곡을 배운 적이 없는 내가 피아노를 두드리며 음을 맞춰 만들어 본 곡일 뿐이다.

요즘은 교회 예배시간, 부르는 찬양과 신학교에서 수업 전에 함께 부르는 복음송으로 큰 은혜를 나누고 있다.

또한, 60여곡을 작사. 작곡한 조유호 목사님과 함께 찬양하며, 영어로도 불러보며 많은 은혜를 받고 있다.

삶이 찬양이고, 감사가 찬양임을 늘 기억하며, 주께서 행하신 모든 일에 영원히 감사 찬양하며 살아가야겠다고 다짐해 본다.

*주께서 이를 행하셨으므로 내가 영원히 주께 감사하고 주의 이름이 선하시므로 주의 성도 앞에서 내가 주의 이름을 사모하리이다. (시편 52:9)

삶에서 만난 미술. 예술 이야기

나는 그림을 잘 그리지 못한다. 강의할 때 맷돌을 칠판에 그렸는데,
사람들은 변기통같이 생겼다고 할 정도이다.
그림과 만화로 복음을 전하고 성경을 전하고 칠판 설교를 하시는 분들이 한없이 부럽다.
그런데 이상한 일은 초등학교 내내 특별활동을 하는데 전부 회화부에서 활동했다는 것이다.
지금도 이해되지 않는 부분이다.
상장을 정리하다 보니 도원동교회 5학년 2반으로 적혀있으며 '가작상'이라
되어있는 한 장의 종이를 발견할 수 있었다.
연못가에 있는 팔각정을 그리고 그 옆에 바위와 바위틈의 풀들과 꽃들을 그린 그림으로 상을 받은 것이다. 사실화로 잘 그린 그림이 아니라 뭔가를
표현하고자 했기에 상을 주지 않았나 생각된다.
중학교 미술 시간에 이런 일이 있었다.
커다란 도화지에 신문이나 잡지 등에서 찢어 붙여서 작품을 만들어 발표하는 시간이 있었다.
자기가 만든 것을 가지고 앞으로 나가서 서 있으면 선생님이 들여보내고 들여보내서 최종적으로 남은 것으로 평가를 하신 것이다.
나는 커다란 네모 안에 작은 네모를 밑그림으로 안

과 밖을 다른 찢어 붙이기로 만든 것을 들고 서 있었는데, 이상하게도 끝까지 들어가란 소릴 듣지 못하고 끝까지 서 있는 행운(?)을 얻었다.

훨씬 잘 한 친구들이 많았는데, 내가 만든 것을 뽑아주셨다.

그리고서 설명을 하시는데, 이것은 단순하지만, 통일성과 변화성이 있는

좋은 작품이라고 말씀해 주셨다.

그래서 지금까지도 미술과 예술을 볼 때 나아가 세상을 바라볼 때 통일성과 변화성을 같이 볼 수 있는 시야를 가지게 된 게 아닌가 싶다.

예전에 누가 김자경오페라단의 비싼 공연 입장권을 주셔서 세종문화회관에 간 적이 있다. 하얀 가발을 뒤집어쓰고 나와 알 수도 없는 말로 공연을 하는데 아무 느낌도 없었다.

한참을 졸면서도 예의를 지키려고 애를 쓰면서 참고 있는데, 끝났다는 느낌을 받으니 얼마나 기뻤는지 몰랐다. 그런데 끝난 게 아니고 1막이 끝났다고 잠깐 쉬었다가 다시 들어오라는 것이었다. 그래도 남들이 보는 눈이 있어서인지 끝까지 잘 참고 끝나는 것을 보고 나온 적이 있다.

공연예술에 대한 기초지식이라도 갖춰야 그릴 수 있는 그림이 아니겠는가?

몇 해 전에 교회를 지원하는 20kg짜리 쌀을 여러

포대 주신다고 하여 미술전시회를 다녀온 적이 있었다. 화환 대신에 쌀을 기증하여 어려운 사람들과 나누는 좋은 미술전시회였다.

어려운 가정에 나눠 드리면서 보낸 분의 귀한 마음도 고스란히 전달해 드렸다.

그림전시회를 통한 이웃 나눔을 실천하고 있는 고운 마음이 한 폭의 그림이 아니겠는가?

가장 아름다운 그림은 주님 만드신 세상의 그림이요, 가장 아름다운 오페라는 주님 만드신 세상의 소리이요, 가장 아름다운 전시는 주님 만드신 온 우주의 자연이리라.

예술에 한참 멀지만, 주님 주신 자연에서 예술가로 살아야 하겠다.

하루의 눈을 떠서 보이는 세상. 사람들. 소리. 향기와 냄새들. 촉감들. 모두가 주님께서 펼쳐놓으신 전시회이다.

화환과 쌀도 필요 없다.

믿음으로 받아 누리고 전하고 사는 가장 아름다운 예술인의 삶이면 족하지 않은가?

이 모두는 주님께서 만드신 세상이 예술이기 때문이리라.

삶에서 만난 신학교 이야기

망원제일교회(통합 서울서노회) 청년회 때 신학을 하기로 하고 담임목사님께 신학교를 어디로 가야 할지를 여쭈었다.

통합측 교회니 당연히 워커힐 옆 광나루 신학교인 장신대를 추천해 주실 것으로 생각하고 있었는데 뜻밖의 답이 돌아온 것이다.

나의 형편과 상황을 잘 아시는 목사님께서는 장로교 대신측의 신학교인 대한신학(안양대)을 하라고 하시는 것이었다.

신설동에 있었던 고려학원에 다니면서,

1984년에 중졸 검정고시와 1985년에 고졸 검정고시에 합격하고 27세에 86학번으로 신학교에 입학하게 된 것이다.

역시 제일 관심 있는 과목이 히브리어 헬라어 시간이었다.

배제민 교수님의 히브리어와 헬라어 이억부 교수님의 수업이 제일 재미있었다.

후에 김남준 교수님의 히브리어 원어 강의도 들으면서 깊이는 더해서 갔고 원어에 대한 집중도는 높아지기 시작했다.

2학년 한 학기를 마치고 학비가 다 떨어져서 사우디아라비아에서 13개월 극동건설 주베일항만에서 일하고 돌아와 기숙사에 들어가서 공부할 수 있었다.

학부 4학년 때 우리 집사람을 사랑제일교회 채 전도사의 소개로 만나 결혼하게 되었다.

대학원을 총신이나 합신으로 가려고 준비하는 중 아무래도 시험 봐서 떨어질 것 같았다.

그냥 안양대 신대원으로 가기로 했다.

부천에 있는 국제비전신학교에서 연락이 왔다. 원어 강의 좀 해 달라는 것이었다. 군소 신학이지만 좋은 건물에 좋은 환경으로 강의 비디오를 제작하기도 했다.

성신 총회신학교, 서경 신학교, 비블리칼사이버신학교등에서 강의를 진행하기도 하였다.

대한 바이블신학교는 신학생을 추천해 주려고 방문했는데 학장님께서 원어 강의 좀 맡아달라 하셔서 강의하게 되었는데 이 학교는 대한신학 대학원대학교와 연계된 좋은 신학교이다.

그간 헬라어와 선지서를 강의했고 이번 학기 히브리어를 강의하는데 20여 명의 신학생이 힘차게 수업을 따라오는 것을 보며 큰 은혜를 받고 돌아오는 행복한 신학교이다.

작년에 박종근 목사님의 추천으로 진행하시는 그레이스 신학교에 입학하여 3학기를 보내며 공부하고 있다.

좋은 학우들도 만나고 좋은 책들을 부족하지만, 많

이 읽게 하는 좋은 신학교이다.

1학기와 논문만 남겨 놓고 힘찬 내일을 향해 나아갈 수 있는 신학교가 있어서 행복하다.

신학교는 아니지만 많은 교수를 배출한 아람 연구원이란 데가 있다.

김두연 목사님의 지도로 고대 근동 언어와 원어를 배우고 있는데 벌써 7년째 매주 금요일 고급반에서 수학해 오고 있다.

함무라비 아카드어 수메르어 아람어 시리악(페쉬타) 히브히어원강 헬라어원강 영문설교. 라틴어 기독교 강요 독어·불어 등을 가르치며 신학생들을 독일로 유학 보내 숨마쿰라우데 마그나쿰라우데를 받아오게 하여 한국의 신학을 한 단계 올려놓는 초석을 다지는 아람 연구원이다.

마지막으로 생명수교회에서 진행하는 생수8구조원어 연구원이 있다.

영어 성경. 히브리어 헬라어. 아람어 반이 있다. 소수지만 이곳에서 1년 이상 공부하면 신학교에서도 학점을 인정해 주기도 한다.

원어를 통한 신학의 기초를 넣고 그 위에 주경신학. 조직신학. 역사신학. 구약신학. 신약신학으로 이어지는 시스템 신학교가 많아지기를 기대해 본다.

힘들 때의 기도처소 이야기

사람은 누구나 힘들고 지칠 때가 있다. 이때의 돌파구를 어디에서 무엇으로 찾느냐에 따라서 좋은 탈출구가 되기도 하고 오히려 더욱 악화하여 깊은 수렁에 빠지기도 한다.

크리스천도 마찬가지로 어려움과 힘듦이 한꺼번에 몰려와 도저히 감당할 수 없을 때가 있다.

이때 교회나 기도처나 기도원으로 나아가 기도하며 하나님께 모든 사정을 아뢰며 기도하게 될 때 가장 좋은 돌파구가 됨을 알 수 있다.

소공동에서 일할 때가 있었다.

점심시간이라도 기도처가 있어서 기도하면 좋겠다고 생각하고 주위의 교회 문을 두드렸다.

교회의 문들이 한결같이 잠겨 있었다. 며칠을 찾아보았다.

마침내 한 교회를 찾아갔는데 문이 스르르 열리는 것이었다.

어쩌면 당연한데 신기하고 감사함이 몰려왔다. 맘껏 기도하고 피아노도 뚱땅거려 보았다.

매일 낮에 찾아가는 기도처로 큰 안식과 위로를 얻었다.

교회의 문들을 열어야 하겠다.

언제 어떤 이가 곤고함으로 지친 영혼으로 기도하

고 싶어서 찾아올지 모르기 때문이다.

청년 때나 교사 때는 힘들고 어려울 때 기도하고 싶을 때 서울에서는 삼각산이 제격이었다. 감람산 기도원의 케케묵은 냄새 맡아가며 하는 기도의 맛(?)이나 밤중에 랜턴을 켜고 능력봉에 올라 커다란 비닐을 뒤집어쓴 채 기도할 때 특히 비라도 내릴라 치면 비닐에 떨어지는 빗방울 소리를 들으며 하는 기도가 지금도 보이고 들려지는 듯하다.

신학교 때 수업 마치고 시내산기도원으로 향하는 버스에 올라 밤새도록 나라와 민족을 위해서 북한을 위해서 기도하던 그 우렁찬 소리 들을 어찌 잊으리오.

가장 힘들 때의 기도처소로 망원제일교회 초창기 교회 지하기도실을 잊을 수 없다.

바닥에 깔아놓은 나무에 습기가 차서 풍기는 약간 썩은 냄새와 십자가 뒤에 치워진 진 고동색커튼의 묵묵함이 더해 주는 이상한 안정감이

울부짖는 기도하기에 최적의 기도처소였다.

안양 병목안기도원에서 산 쪽으로 올라가면 커다란 바위가 하나 나온다.

이곳도 힘들면 찾는 기도처였다.

안양 갈멜산기도원은 우리의 소중한 기도처소이다.

말씀으로 위로받고 힘을 얻고 기도굴과 동산에 올라가서 하는 기도. 언제나 포근한 기도처다.

강화 갈멜산기도원도 조용히 기도하기에 좋은 장소인 거 같다.

오산리기도원도 많은 사람 속에 묻혀 기도하고 금식 기도하기 좋은 기도처이다.

천보산기도원도 조용히 기도하고 오기에 좋은 기도처임이 틀림없어 보였다.

목동의 한 목사님께서 안양유원지 꼭대기에서 산속으로 헤집고 들어가더니 한 장소를 소개해주었다. 이곳이 자기가 자주 찾아오는 개인 기도처라고.

그렇다. 누구나 각각 맘껏 기도하고 싶을 때가 있다. 울부짖어 기도하고 싶을 때가 있다.

자신이 좋아하는 기도처가 있다. 가까운 교회부터 기도처 삼아 주님께 맡기며 매달리며 간구하며 살아가자.

가까운 기도원이나 조용한 장소를 찾아 자신만의 기도처도 만들어 보자.

집에서라도 얼마든지 기도처가 될 수 있다. 기도처 삼아 시작함이 무엇보다 중요하다.

예루살렘 성전이 마주 보이는 감람산에서의 주님의 기도처소가 실제 우리의 삶에서 기도처소로 다가오면 좋겠다.

여행에서 배운다

강도사 때 교회 일에 치어서 살 때가 있었다.

월요일도 쉬지 않는 교회였다.

교역자가 월요일 왜 쉬냐, 주일날 빠진 성도들 점검해야 한다고 하였다.

주로 목사님 차를 운전하고 기도원으로 영등포로 다니기를 어언 1여 년이 지났다.

내가 뭐 하는 사람인가? 교회에서 기도할 시간도 없이 불려 다니기 일쑤였다.

5분대기조가 따로 없었다. 심지어 교역자 사무실에 벨이 있어서 1번 누르면 누구고 2번 누르면 누구고 해서 목사님께 달려가야만 했다.

어떤 분이 어느 교회 면접 볼 때 이런 내용이 있었다. 부교역자는 해 떨어질 때까지 퇴근 못 한다, 성도들과 너무 가까이 지내지 않는다 등등을 서약하게 하고 받아들이는 일도 있었다.

부교역자들의 인권과 처우 개선은 전혀 고려되지 않던 시절이었던 같다.

그렇게 지내던 중 4일간의 휴가를 얻어 자동차로 전국을 돌아오겠다는 계획을 세우고 출발했다.

첫 도착지가 제부도를 시작으로 군산, 목포, 부산, 대구 강원도로 해서 서울로 돌아오는 자동차 전국 일주 코스를 계획했다.

제부도에 도착하여 첫날부터 일이 꼬이기 시작했다. 차가 논두렁에 빠진 것이다. 다음날 차를 빼내고 어쩌고 하니 하루가 지나갔다. 제부도는 바닷물이 갈라지는 시간을 잘 맞춰야 하기에 어려움이 많았다. 전국은커녕 제부도에서만 지내고 돌아온 게 전부였다.

목회자들이 여행을 일부러 가기는 쉽지 않다. 그래서 어디 심방이나 교회에서 갈 일이 있을 때 그 근방에 여행으로 들려오는 것이 전부일 때가 많다.

특히 가족여행을 한번 가기는 더더욱 쉽지 않다. 다들 시간을 맞춰야 하기 때문이다. 그래도 누군가 강력하게 밀어붙이면 일이 진행되기도 한다.

딸이 나를 닮았는지 밀어붙이는데 뭐가 있는 것 같았다. 가족여행을 준비하고 제주도로 2박 3일로 갔다 오자는 거였다. 수요예배도 지장 없게 해 주겠다는 것이다. 코스를 정하고 숙박할 곳을 예약하고 정말 완벽한 준비가 안 갈 수가 없었다.

설레는 맘으로 20년 만에 처음으로 가족여행이라는 것을 가보았다.

가족여행도 자주 다녀야 하는데, 처음 가는 거라 손발이 잘 맞지 않았다.

다툼만 일어났다. 나는 된장국에 밥을 먹어야 하는데, 아들, 딸은 피자와 맛집에서 먹어야 한다는 것이었다. 우리 집사람은 중간에서 이러지도 못하고 저러지도 못하고. 아무튼, 성산 일출봉에서 내려올 때는 맘이 많이 상해서 내려오는데. 뒤에 오는 어떤 가족들의 이야기가 들려오는데 그쪽도 다투면서 내려오는 소리였다. 사진찍기를 싫어하는 자녀들을 부모들은 사진 찍자고 했는지 투덜투덜하면서 내려오는 것이었다.

바닷가에 도착하여 많은 것을 깨달을 수가 있었다. 가족끼리도 이리 마음을 맞추기 어려운데 다른 사람들이야 어쩌랴. 모든 것을 맞추며 살아가라고 꾸짖듯이 파도가 밀려왔다 돌아갔다.

목회자는 자칫 자기 위주로 모든 것이 돌아갈 때가 많다. 그래서 고집이 세다는 말들을 많이 듣는지도 모르겠다. 가족과도 맞추고, 성도들과도 맞추고, 노회도, 총회도 맞추며 살아야겠다. 모두가 자기 뜻대로 되는 것은 아니다, 서로가 양보하고 타협하고 정점을 찾아 하나씩 풀어나가면 해결하지 못할 일이 없다. 왜냐하면, 사람 사는 게 거기서 거기이기 때문이다.

우도의 하얀 바다가 살포시 왔다가 발목을 설레게 하고 수줍어 돌아갔다.

마음도 몸도 하얘지는 것 같았다.

복잡하고 다단한 세상에서 백옥 같은 하얀 바다처럼 살아야겠다.

순수한 마음 그대로 간직하면서 말이다.

우렁차게 떨어지는 폭포 앞에서 우리는 소리를 지르며 사진을 찍었다.

세상의 온갖 시름 소리를 한 번에 날려 보낼 듯한 깊고도 넓은 소리였다.

많은 물소리 위에 들려오는 그분의 음성이 들려오는 듯하였다.

좁은 비행기 차창으로 하얀 뭉게구름이 꽃을 피워 돌아가는 길을 에스코트해 주었다. 순전하신 주님, 백합 같은 주님. 우리는 세상에 찌들대로 찌는 사람들. 주님 만드신 세상에서 지속해서 우리에게 말씀하시고 계시는데. 전혀 들으려고 하지 않고, 보려고 하지 않고, 깨달으려 하지 않은 나의 모습은 아닌가?

다시 계획을 잡아간 곳은 담양의 죽녹원과 메타세쿼이아 길을 지나, 여수로 가서 엑스포 해상공원과 검은 모래 해변을 걷고 여수엑스포역에서 기차 타고 돌아오는 코스였다. 아침 신선한 공기에 불어오는 바람에 부딪히는 대나무 소리가 지금도 귓가에 들리는 듯하며, 검은모래해변의 깔끔한 바닷가도 오래도록 기억에 남는 좋은 장소였다. 그 여행을 통해 몇 년은 신선하게 지낼 수 있을 것 같은 느낌을 받는다. 여행이란 그런 묘미가 있는 것 같았다. 코로나로 인하여 멀어진 성도들을 위해 야외예배를 준비했다.

모 권사님의 굼벵이 농장에서 장소와 음식을 제공해 주었다.

오후 야외예배도 드리고, 숯불에 고기도 굽고, 막 따온 상추에 감질나게 먹고, 흰 눈처럼 빛나는 하얀 마늘도 맛보며, 난생처음 보는 참죽나물도 맛볼 수 있었다.

웃음 치료 목사님도 초청해서 맘껏 웃다, 울다가 하나 된 마음으로 돌아왔다.

혼자서도, 부부가, 가족이, 성도들과 함께 하는 소박한 여행이라도 큰 소득이 있다. 갔다 오면 남는 게 있다.

다음에 또 기회를 만들어 작은 여행이라도 계획 보아야겠다.

그 여행에서 배우는 것이 많기 때문이다.

삶에서 만난 외국 1

사우디아라비아

극동건설에서 사우디아라비아 주베일 하. 폐수 처리장 공사 (처리용량 7.2만 톤/일)를 수주받고 한창 작업을 하던 중에 나는 사무실 행정 요원(타자수)으로 단기계약직으로 근무하게 되었다.
처음으로 외국으로 나가는 비행기에 몸을 실었다.
방콕에 잠깐 들려 화장실의 물을 쓰는데, 여름에도 이 나라는 보일러로 뜨거운 물을 공급하나 했더니 날이 뜨거우니 물도 데워져서 그냥 나오는 것이었다.
우즈베키스탄을 거치기에 공항에서 6시간 정도 꼼짝없이 붙잡혀 있는 형국이었다.
위스키 같은 술병들이 그림처럼 올려져 있는 배경으로 감시하듯 서 있는 공항직원들이 공포감을 더해 주었다.
드디어 사우디아라비아 담맘에 있는 킹 파드 국제공항에 내렸다.
두 줄기 가로등 불빛만이 한없이 펼쳐진 도로를 따라 2시간 정도 봉고차 뒤에 짐을 꼭 붙잡고 달려간 곳이 바로 주베일이란 곳이었다.
자체 캠프 안에서 근무하게 되어 비교적 안전한 형태의 근무지였다.

새벽부터 근무하고 낮엔 1시간 낮잠을 잘 수 있었다. 휴일인 금요일엔 담맘에 있는 한인교회로 2시간을 달려 출석하게 되었다.

첫 교육전도사 생활이 바로 이곳이 되었다.

외로운 객지에 나와서 살아가기에 한인교회는 그야말로 생명수와 같은 역할을 톡톡히 하고 있었다.

어느 날 휴일은 작정하고 사막 한가운데를 몇 시간이고 걸어보기로 하고 나왔다.

사막을 지나가는데 뱀이 쓱 하고 지나가는데 어쩌면 그리 불그스레한 사막의 모래색과 비슷하게 생겼는지 모르겠다.

언제 지나갔는지도 모르게 지나가고 살짝 흔적만 남기고 모랫구멍으로 들어가 버리고 말았다. 그 흔적이라는 것도 바람 한 번 부니 온데간데없었다.

이스라엘 백성이 광야에서 뱀에게 물렸을 때가 바로 이런 것처럼 언제 어디서 나타났는지 모르게 와서 물었던 것은 아닌가 생각해 보았다.

메마른 광야 사막을 반나절 정도 걸었는데, 도저히 더는 걸을 수 없을 정도로 가도 가도 뙤약볕뿐이었다. 그곳에선 세 발짝만 떼도 자동차로 가라는 말이 있다. 무조건 차를 몰고 움직이라는 말이었다.

물값보다 싼 기름값으로 캠프에서 맘껏 기름을 넣고 차를 몰고 캠프 안은 물론 캠프 밖에도 몰고 가기도 하였다.

모래밭에 차가 빠지면 중장비가 와서 꺼내 줄 거니까, 맘 놓고 운전을 해 볼 수 있는 곳이었다.

일하다가 한 번씩 시내로 쇼핑을 가는 날이면 신나는 날이었다. 쇼핑몰의 화장품과 세탁제들과 식품들에서 나는 냄새들이 쇼핑 장소에 왔음을 알리는 향기였다.

그 향기를 맡으며 맘껏 걸을 수 있는 쇼핑은 일터에서의 고단함과 외로움과 서늘함 모두를 날려 보내 주는 놀라운 장소가 되기도 하였다.

돈을 벌러 온 사람들의 일상이라 그런지 메마른 감정들이 많아 다툼도 오해도 심했던 것 같았다. 조금만 힘들어지면 자신의 분노를 조절하지 못하는 사람들이 많았다.

오히려 제삼국인들이 허드렛일은 하지만 얼굴과 마음은 평온함을 유지한 채 항상 웃고 있었다.

어떤 날 저녁에 공갈 낚시한다고 해서 따라나선 적이 있다. 흐르는 물 통로에 아무것도 없는 가짜 낚시인데도 희한하게 고기들이 잡혀서 올라오곤 하는 것이었다.

조금만 나가면 바닷가니 쉬는 날에는 자주 바닷가에 나가게 되었는데, 길쭉한 수박을 쭉 잘라 바닷가의 더운 바람과 함께 먹는 수박 맛은 잊을 수가 없을 것 같다.

저녁으로 운동하게 되는 데 사우디아라비아 친구들

과 밤에 하는 축구는 정말 시간 가는 줄 모르는 운동이 되었고, 운동이 부족한 생활 속에 A4용지 상자를 들었다 놓기를 수십 회 반복하면서 운동을 하기도 하였다.

당시 나는 28세밖에 되지 않았지만 다른 분들은 연세가 있으셔서 그런지 캠프에서 주로 비디오테이프로 배달되는 지난주에 방영되었던 '가요무대'를 다 같이 모여서 손뼉을 치며 향수를 달래곤 했다.

요즘 트로트 7이나 방탄소년들만큼이나 인기가 있었다.

캠프 안에 어떤 한 분은 방에서 책을 읽는데 어떻게 읽는가 봤더니, 한 권을 다 읽는 게 아니고 여러 권을 놓고 조금씩 나눠서 지속해서 읽고 있는 것이었다.

거기서 책 읽기의 중요성과 방법도 조금 깨닫고 돌아온 것 같았다.

가까운 시내에 회사에서 쓸 물건을 사러 갈 일이 있어 들리게 되면 많은 가게가 온종일 문을 여는 게 아니라, 몇 시부터 몇 시까지 문을 연다는 안내 글을 써 붙여 놓은 것을 쉽게 볼 수 있다.

온종일 열 필요 없이 필요한 시간에 다 같이 와서 사면 되는 좋은 제도인 것 같다.

주인은 그만큼 자기 시간을 가질 수 있는 좋은 모습 같았다.

한 달에 한 번 정도는 음료수를 가득 실은 대형 트럭이 캠프에 들어왔다.

모두가 나가 태양 빛을 온몸으로 받으며 수많은 음료수 상자를 나르면 온몸이 땀으로 샤워를 한 모양이 저절로 되어있었다.

라마단이라는 이슬람 금식 기간이 되면 해가 있는 동안엔 금식했다가 해 떨어지면 마구 먹어대는 이상한 일들이 시행되고 있었다.

우리는 공사장 안에 비닐하우스 같은 곳에 숨어서 컵라면도 먹고 일했던 기억이 어제 일처럼 다가오기도 한다.

바닷물을 시설에 쓸 수 있는 물을 만들고, 하. 폐수처리장을 만드는 거대한 공사를 통해 많은 사람이 공을 들였다.

건물과 공사가 진행되는 속도에 따라 타자로 한 장 한 장 쳐놓은 문서들이 한 권 한 권 늘어갔다.

그 진행된 만큼의 기선(중간공사비)을 타서 월급도 주고 하는 것이었다.

뜨거운 나라에서도 힘을 다하여 열심히 사는 모습 자체가 아름다운 한 폭의 그림이 아니었는지 모른다.

삶에서 만난 외국 2

이스라엘.이집트,요르단

원어성서원의 이선호 목사님과 그분에게서 원어를 배우시는 분들과 함께 성지순례의 계획을 잡았다. 나는 거기서 공부하는 사람은 아니지만, 원어라는 관련성으로 함께 가게 된 것이다. 나만 혼자인 거 같아서 서울서노회의 김천사 목사님과 함께 가자고 달콤하게 속삭여서 드디어 함께 떠날 수가 있었다. 이스라엘 텔아비브 벤구리온 국제공항에 도착하였다. 텔아비브의 도시는 웅장한 현대도시에 바닷가까지 끼고 있어서 세계적인 도시 같았다.

좋은 성지순례 가이드를 만나서 버스에 올라 이스라엘의 북쪽부터 시작하여 밑으로 내려오면서 진행되는 코스에 몸을 맡겼다.

갈릴리 호수(바다라고도 하는)의 선상에 앉으면 누구라도 예수님 제자들인 어부들의 이야기가 스쳐지나감을 느낄 것으로 여겨졌다.

식당에서 물을 따로 돈을 내고 사 먹는 게 무척이나 신기했다. 갈릴리 호수 밑 쪽에 자리 잡은 숙소는 너무나도 따뜻한 곳이었다. 키부츠와 맞닿아 좋은 식재료를 공급받은 식단을 맛볼 수 있었다.

골란고원의 높은 고지를 버스가 지나면서 건물의

총탄 흔적을 보여 주며, 6일 전쟁의 상처가 고스란히 남아 있는 곳이라는 설명을 들을 수가 있었다.

가나의 혼인 잔치가 있었던 곳에서 항아리들을 만들어 놓은 것들을 보니 혼인 잔치에 쓰인 물품들을 볼 수가 있었다.

주기도문교회에 많은 사람이 들리는 곳이다.

그곳은 각국의 언어로 주기도문이 걸려있는데 각기 자기 나라 글로 되어있는 주기도문을 찾기에 급급하였다.

전에 작은 캠코더와 사진기로 많은 영상과 사진을 찍어서 호산나라는 카페에 업로드 시켜 보관해 왔는데, 호산나 카페가 없어지면서 모든 자료가 다 날아가 버렸다.

언젠가 다시 가서 제대로 찍어야겠다는 생각도 들었다. 이글거리는 태양 빛으로 반드시 선글라스를 끼고 따라다니지 않으면 안 되었다.

사해 바다에서는 그림에서 본 것처럼 바닷가 위에 누워 신문을 읽을 수 있다는 것을 실감케 되는 물에 뜨는 현상을 볼 수 있었다.

남쪽으로 내려와 이집트 국경을 넘어 숙소에서 자고 그다음 날 새벽같이 시내산에 올랐다. 낙타를 타고 오르는 사람도 있었지만, 일부러 걸어 올라갔다.

흙내음과 아침 공기를 온몸으로 받아들이고 싶어서였다.

시내산 정상에서 벌리 펼쳐진 불그스레한 산등성이들이 파노라마처럼 펼쳐져 있었다. 시내산의 위치에 대해 여러 설(說)들이 있지만 그래도 아직은 이곳이 정설로 여겨지니 그러려니 하고 바라본 광야에서 모세의 모습을 그리며 오늘의 나를 생각하며 천천히 내려왔다.

요르단으로 국경을 넘어 페트라를 향하여 좁은 통로를 지나 웅장한 모습을 만나게 되었다. 작은 어린이가 1달러에 뭔가를 팔았다. 몇 달러를 주고 팔아준 것이 생각나고 이곳도 낙타를 타고 오고 갈수 있게 되었다. 이곳에서는 나도 어쩔 수 없이 낙타를 타고 돌아온 기억이 난다.

느보산의 모세가 바라본 눈망울을 생각해 보았고, 갈멜산 엘리야의 목소리를 묵상해 보았다. 성지의 묘미는 다른 것에 있지 않고 그 장소, 장소에서의 사람들의 움직임과 소리가 들려오는 듯한 느낌이라는 것이다.

요단강을 지나며 예수님의 세례가 그려지고 들려지면 되는 것이다.

그리 넓지 않은 강, 그리 맑지 않은 강 그래도 그 요단강을 통해 얻어지는 은혜는 넓고도 맑았다.

어느 한 곳의 작은 숲속을 가게 되었는데, 그렇게도 맑은 물이 콸콸 쏟아지는 게 아닌가? 그곳의 장소는 전혀 생각이 나질 않는다.

예루살렘의 비아돌로로사 길과 통곡의 벽과 그 벽에 뭔가를 꽂아 넣으면서 기도하는 랍비들과 마가의 다락방 그리고 4개의 종교가 한곳에서 지내는 광경 등은 너무나 이국적인 모습 그대로였다.

정신없이 이곳저곳 다녀온 이스라엘, 이집트, 요르단이었다.

다시 한번 기회가 되면 천천히 움직이며 기록도 남기고 하는 성지순례를 했으면 좋겠다.

삶에서 만난 소리 이야기

세상에는 많은 소리가 있다.
그 소리 들을 들어보자
새벽예배를 알리는 교회 종의 긴 줄을 잡아당기면
땡그랑 하면서 소리를 낸다.
잔잔한 파동을 주는 교회예배를 알리는 차임벨소리
가 잔잔한 소리를 낸다.
새벽송 돌 때 떨면서도 하모니까지 맞춰 불리던 찬
양 소리가 난다.
은호 천사 전도사님의 새벽에 깨어 일어나서 처음 하
는 일인 무릎 꿇고 주님께 기도하는 소리가 들린다.
새벽기도용 반주를 배경으로 성도들의 새벽기도 소
리가 들려온다.
금요기도용 반주를 배경으로 성도들의 합심 기도
소리가 들려온다.
어머니의 새벽예배 나가시려 준비하시면서 내는 소
리가 들려온다.
추운 날 일찍이 일하러 나가시던 아버지의 두꺼운
잠바 비비는 소리와 자크 올리는 소리가 들려온다.
강대상의 작은 종소리가 우리면 통성기도 하다가
멈추게 된다.
피아노 소리가 찬양을 힘있게 한다. 오르간의 건반
과 베이스 소리가 웅장하게 들려온다. 6줄, 12줄 기타 소리가 복음 송과 함께 어울려 소리를 낸다.

드럼 소리로 힘 있는 찬양 소리되어 들려온다.

색소폰, 바이올린, 첼로, 하모니카, 오카리나, 특송 소리가 영광 돌리던 소리가 들려온다.

솔로, 듀엣, 중창, 합창, 성가대의 찬양 소리가 들려온다.

특송으로 꺾어지는 소리로 찬양 부르시던 소리도 들려온다.

율동의 움직임 소리가 한 컷의 영상 소리되어 들려온다.

춤추며 소고치기를 보여 주는 움직임의 소리가 들려온다.

얇은 성경책 넘기는 소리가 어찌 그리 아름다운지요.

어머니의 아침밥 챙겨 먹여 보내려고 준비하시던 부엌일 소리가 정겹게 다가온다. 두부 장사 종소리와 쓰레기차가 쓰레기 버리라고 알려주는 소리가 들려온다.

밥상 차려지는 소리가 들려온다. 달그락하며 설거지 소리가 난다.

쓰레기봉투 묶으며 비벼지는 소리가 난다.

전자레인지 다 되었다는 소리, 냉장고 문 열렸다는 소리, 밥통에 김 길게 뿜어내는 소리, 비 오는 날 꽈리 고치 볶아지는 소리, 어묵국 팔팔 끓는 소리, 두부 몇 조각 올려놓고 기름에 튀겨지는 소리, 스팸 튀겨지는 소리가 들려온다.

온 동네 소독한다고 하얀 연기 뿜어내는 그 속에 아이들이 떠드는 소리, 한 대 쥐어박는 소리가 소독차의 윙윙하는 소리와 함께 묻혀서 소리를 낸다.

대나무 숲에서 바람에 부대끼면서 모든 것을 맑게 해 주는 생명의 소리가 들려온다. 꽃들도, 나무도 모두가 자기의 소리를 내고 있다. 지나가는 길손에게 무언가를 말하려 한다.

비 오는 날 커다란 우산을 들고 슬리퍼 신고 바지 걷어 올리고 흘러내리는 빗물 헤치며 올라가면서 부르는 노랫소리가 빗소리에 묻혀 들려온다.

코르그 신시사이저 88건반의 스트링에 맞춰진 연주와 함께 심금을 울리는 복음 송 소리가 난다. 한 곡을 반복해서 불러도 불러도 은혜가 되는 은혜의 찬양이 들려온다.

기타 하나로 홀로 때론 둘이 셋이 주님을 찬양하는 소리가 들려온다.

음정, 박자 불안하게 넘어갈 때 많지만 그래도 주님을 노래하는 소리이기에 특별히 말씀 속의 가사들이기에 더욱 은혜가 되는 듯하다.

생명의 말씀이 선포되는 목사님의 소리가 귓가에 쩡쩡 울리는 듯하다

신학교 수업에서 같이 울고 같이 웃으며 찌렁찌렁 가르쳐 주시던 소리가 들린다. 큰 스승 교수님들의

도서관에서 두껍디두꺼운 책장을 넘기시는 소리는 큰 감명을 받을 수밖에 없는 소리였다.

쫓아다니면서 챙겨주려는 고운 맘 담은 아내의 잔소리 소리가 싫어서 싸우기도 했던 소리였는데 지나보니 이보다 좋은 소리가 또 어디 있으랴.

아내의 섬유근육증과 이석증으로 신음하면서도 움직여 나아가는 소리가 들려온다.

자녀들이 좀 자라 뭐라 할라 손 치면 감히 부모를 가르치려느냐 했는데 지나보면 부모 챙겨주는 소리였다.

이런저런 분야에 전문가의 소리는 꼭 필요한 소리인데 그 소리 듣고 실천으로 옮기기까지는 늘 고통이 따른다. 성장통에서 나오는 소리가 무엇보다 아름다운 것은 오늘이 어제보다 자라있고 내일은 오늘보다 더 자랄 거라는 믿음이 있기에 그 소리는 성장의 필수 하모니 소리인 것 같다.

산에 오르면서 들려오는 물소리, 새소리, 바람 소리, 사람들의 이야기 소리, 인사 소리, 특별히 정상에서는 모든 것을 날려 보낼만한 시원한 바람 소리가 강하게 들려오고 있다.

많은 물소리와 같은 소리가 끊임없이 들려온다.

그분의 맑은소리와 함께.

오늘도 크고 작은 소리가 들려오는 세상에서 살아가면서 세미하게 들여 주시는 그분의 소리가 영이

요 생명이 되기에 이 세상에서 최고의 소리임을 깨
닫고 그 소리에 귀 기울이며 오늘과 내일을 살아야
겠다.

삶에서 만난 상처 안고 살아가기

사람이 살면서 크고 작은 상처 한두 개씩은 몸에 지니고 살아간다고 할 수 있겠다. 그 상처들을 안고 살고 있으며, 함께 지내며 살아가는 것이 상처의 특성인 거 같다.

나는 머리에 가려진 이마에 반달 모양의 상처가 남아 있다.

이것은 초등학교 시절 공덕동 언덕에 살고 있을 때 친척이 놀러 와서 언덕 길가에 돗자리를 깔고 사촌 형과 같이 잠을 자다 그 형을 넘어서 언덕으로 떨어져 생긴 이마의 상처이다.

아랫집 기와에 떨어지고 다시 기와지붕을 굴러 바닥으로 떨어졌는데, 산 것이다.

그분의 붙잡아 주심으로 인하여 피를 많이 흘렸음에도 불구하고 당시 연합병원이라는 곳에 가서 치료받고 회복될 수 있었다.

그분의 붙잡아 주심은 언제나 꺼져가는 등불도 끄지 아니하시는 은혜와 진리의 붙잡아 주심이다.

어깨에 긁힌 자국은 초등학교 때 효창운동장 57번 종점 부근에 살 때 자전거로 내리막길을 내려오다가 왼쪽의 철조망 쪽으로 넘어지면서 긁힌 자국이 마치 장티푸스 주사 맞은 자리처럼 자리 잡고 있다.

왼쪽 볼에도 긁힌 자국이 남아 있다. 이것은 씨름

하다가 매트리스 쪽으로 넘어지면서 다친 상처인 거 같다. 아직도 확실한 기억이 없을 정도로 그냥 안고 사는 것이다.

목 주변에는 일명 쥐젖이라는 작은 돌기들이 언제부터인가 나기 시작했다.

피부과에 가서 물어보니 10만 원 정도면 전부 제거할 수 있다고 한다.

크게 문제 되지는 않는다. 이것도 그냥 안고 살면 될 것 같다.

신월동에 살 때, 언젠가 가슴 정 가운데에 켈로이드가 나기 시작하였다. 이것도 피부과에 가보니 2주일에 한 번씩 주사로 치료하면 된다 해서 몇 번을 다녔는데, 2주에 1번 시간 맞추기도 어렵고, 크게 신경 쓰이지도 않아 그냥 안고 살아가고 있다.

왼손엔 상처가 두 개가 있다.

하나는 가운뎃손가락의 손톱이 유난히도 크다.

옛날 옥 반지 만드는 공장에 다닐 때 물건을 망치고 서로 두들기다가 상대가 친 망치에 맞아 손톱이 뽑혀 나가고 다시 자라나서 유난히도 크게 된 것이다.

또 하나의 상처는 엄지와 검지 사이에 V자 모양의 상처 자국인데 이것은 내려오면서 물건에 구멍을 뚫어주는 프레스라는 기계에 의해 다친 상처이다.

승리의 브이 자가 아닐까(?)

오른쪽 다리 족삼리 혈 자리 부근에 생긴 상처는

모래내 살 때 네루식(화덕) 연탄 집에 살 때 한쪽만 집중적으로 뜨거워지는 방이 있었는데, 어느 날 밤에 그쪽으로 다리를 대고 잔 적이 있는데, 그곳이 데어서 크게 물집이 생기고 나중에 상처로 남게 된 것이다.

피부가 좀 안 좋은 거 같다. 발목 이하로 긁으면 언제든지 상처가 날 정도로 긁혀지는 피부이다. 최상의 방법은 건드리지 않는 것이며, 가만 놔두는 것이다.

발꿈치도 갈라지는 현상으로 특히 겨울철에는 더욱 심한 것을 알 수 있다.

여러 가지 방법을 써 보았어도 잘 안 되는 것이 피부과에 관한 질병과 상처일 것이다.

집게손가락 끝도 약간 휘어져 가는 것 같고 엄지발가락 쪽도 휘어져 가는 것을 지켜볼 수밖에 없는 일이 벌어지고 있다. 이것들도 자연스럽게 같이 살아가는 과정으로 받아들이고 있다.

몇 년 전에 운동을 계속하다 왼쪽 무릎이 딱하고 맞춰지는 느낌과 구부렸다 폈다 하면 소리도 나는 것 같아 보라매 병원을 찾았다. MRI를 찍어보자 하여 긴 시간 누워있으면서 찍은 영상을 의사 선생님과 함께 보게 되었다. "50대에는 이런 분들이 많습니다. 주의하면서 그냥 사시는 게 좋겠습니다." 그 말이 무척 큰 공감으로 다가왔다. 50세 넘고, 60 시작하면서, 크고 작은 질병과 상처가 나타나기 시작할 것이다.

마음으로 평정심을 잃지 않고 안고 살아가고 함께 살아가야 할 것이라고 받아들이고 살아야 맘이 편할 것이다.

건강검진도 받으면 대체로 용종이 작은 게 보인다. 떼어 냈다. 어쩌고 한다.

누구나 암도 가지고 있다.

다만 그 지수가 높으냐 아니냐 차이이다.

오늘 나에게, 우리에게 질병과 상처로 다가오는 그 어떠한 것이라 할지라도 내가 우리가 안고 살아가야 할 것으로 생각하는 게 무엇보다 중요하다.

너무 부정적인 생각을 가지고 큰일이나 난 것처럼 반응하게 될 때 오히려 큰 부담으로 다가오는 경우가 참으로 많다.

예전에 입을 크게 벌리고 안을 살펴보면 백태가 낀 것 같고, 혀도 갈라진 것 같고 무슨 큰 병이라도 걸린 게 아닌가 하는 생각도 해보게 된다.

앞니 두 개 사이도 언젠가부터 약간 벌어지고 있으며, 치아도 신경치료까지 받고 이래저래 안 좋은 상태로 흘러가고 있다. 사실 스케일링을 너무 자주 해도 잇몸도 안 좋아지고 더욱 치아에 상처를 주는 거 같기도 하다.

몸의 질병과 상처를 바라보건대, 사실 자연스럽게

놔두는 게 가장 좋을 때가 많다.

손을 댈수록 더욱 나빠지는 경우도 많다.

그래서 요즘 자연 치유니 대체의학이니 하는 것들이 무척 다가오고 있다.

8체질로 자신의 체질을 잘 분석하고 자연스레 다가오는 몸의 현상들을 잘 받아들이고 함께 해야 할 친구로 여기고, 안고 살아가는 지혜도 필요한 게 사실이다.

육신의 내. 외과적인 상처와 질병에 올바른 대처가 필요한 것이다.

무조건 호들갑을 떨면서 이래저래 힘들게 살면 안 될 것이다. 차분히 받아들이며 함께 살아가는 지혜가 필요한 것이다.

잘 아시는 지인분들께서도, 암과 함께, 폐병과 함께, 호흡기 질병과 함께 살아가시는 분들이 계신다.

그렇다. 그 어떤 질병도 두려워하지 말고 함께 살아가는 삶의 일부로 받아들이고 자연스럽게 살아가는 게 무엇보다도 중요할 것이다.

너무 주눅 들지 말고, 모든 것을 받아들이자, 모든 것을 함께할 친구로 여기자, 그리고 우리는 나머지 남아 있는 건강함에 감사하며 그분께 어떻게 쓰임 받아야 할지를 고민하고 살자,

그분의 원하심을 좇아 살아감의 모습이 무엇인지를 기억하며 오늘과 내일을 살아야겠다.

예수원 가고 오는 길에서 만난 깨달음

쌀쌀하고 추운 겨울 어느 날 관상기도와 노동으로 유명한 강원도 태백의 예수원을 찾은 적이 있었다. 여러 가지 복잡한 일이 겹쳐서 다가오는 인생의 고뇌 속에서 주님께 깊은 기도를 통해 해답이라도 얻을까 해서 찾아갔다.

기도하는 중에, 노동하는 중에, 침묵하며 깊이 묵상하는 중에, 명상과 자연을 자라보는 중에,

말씀을 깊이 묵상하는 중에,

깊이 있는 대화를 나누는 중에,

다른 이를 위한 기도하는 중에,

예배드리는 중에,

하나님과 이웃과 사회와 현실 앞에서의 고백하는 중에,

통일 한국을 바라보며 기도하는 중에,

그 어떤 해답을 얻을 수 있을 거란 기대감으로 교회 봉고차를 홀로 운전하여 달려갔다.

예수원으로부터 먼 곳에 차를 세우고 눈 덮인 길을 한 참이나 걸었을까?

어디선가 콸콸거리는 흘러내는 힘찬 물소리가 들려왔다.

모든 것이 정지된 듯한 조용한 태백의 한적한 곳에서 마치 여름 계곡에서 들려오는 물소리가 아니던

가?

깜짝 놀라 물소리 나는 계곡 쪽으로 발걸음을 옮겨 놓았다.

얼음덩어리 위에 하얀 눈으로 덮여 있는 계곡의 한 편에 구멍이 뚫려 있었고 그 밑으로는 세찬 물결이 우렁찬 소리를 내며 나를 반기고 있었다.

순간 아무리 외부 환경이 두꺼운 장막에 둘러싸여 있고 한겨울의 얼음처럼 얼어 있고 그 위에 눈까지 덮여 있어 소망이라곤 찾아볼 수 없는 상황에 놓여 있을지라도 자신을 향한 영적 흐름은 세차게 흘러가고 있음을 깨달을 수 있었다.

예수원에서 이것저것을 해 봄으로써 얻게 되는 진리가 이미 이곳에서 해답을 얻게 된 것이다.

그렇다. 아무리 어려운 조건에 맞닥뜨려져 있다 할지라도 성령의 인도하심의 강한 역사는 하나님의 사람들을 힘차게 이끌어 가신다는 가장 기본적인 진리를 놓치거나 약해지거나 희미해지면 사역의 힘은 현저히 떨어질 수밖에 없었다.

예수원 마당을 밟기도 전에 이미 해답을 얻었으니 그냥 돌아가도 좋을 만큼 큰 깨달음에 감사하며 가벼운 마음으로 덕향산 자락의 삼각형 건물로 향하였다.

다락방에 묵상기도가 아주 좋았다.

커다랗고 쭉 뻗은 나무의 사열을 받으며 깊은 생각

으로 시간을 보낼 수 있었다. 누룽지 밥과 채소 반찬을 먹으러 간단한 노동을 하면서 지속적인 묵상을 하게 되는 한 가운데에 주의 세미한 음성이 자연스레 마음에 스며들어왔다.

자기 문제로 온 것 같지만 실상은 다른 이와 더 큰 이상을 놓고 기도하는 중에 자신의 크고 작은 문제들이 하나씩 해결돼 감을 느끼는 시간으로 채워져 갔다.

2박 3일의 수련일정을 마치고 돌아오는 강원도 길은 만만치 않았다.

꼬불꼬불 길이 쭉 이어졌다.

봉고차 오른편엔 낭떠러지로 계속 이어지는 길이었다. 얼마 가지 못하여 회전할 때 차가 미끄러져 돌아 벽 쪽으로 크게 부딪혔다. 만약 방향이 낭떠러지 쪽이었다면 몇 번을 굴렀어야 할 상황이었다.

주님의 붙들어 주심과 주님의 이끄시는 방향이면 충분함을 깨닫게 해주는 진리의 시간이었다.

예수원 가는 길. 예수원에서의 짧은 삶의 길. 예수원 돌아오는 길에서 진리는 멀리 있지 않고

아주 가까이 우리 곁에 있음을 알게 되었다.

말씀에 기도에 예배에 삶의 자리 한 자리 한 자리가 모두 진리와 만나는 자리며 그 자리가 예배의 자리며 그분과 온전히 동행할 수 있는 소중한 우리들의 자리와 시간이다.

그리고 지금 나아가는 길로 연결되는 모든 삶의 여
정에 주님의 붙들어 주심과 주님의 이끄시는 방향
에 우리는 순응하며 살아가는 것이 진리 중의 진리
임을 다시 한번 새기며 사역의 한 가운데로 다시
돌아올 수 있었다.

광양 매실 이야기

광양에는 전에 청량리 대성 타자학원 원장님이셨던 분이 내려가 '천상 서병길 농원'을 하며 살고 있다.
올해에는 전도사님이 더 잘 아신다는 광양 진상면의 송 장로님에게서 매실을 주문했다.
10kg에 3만 원이라 하는데 상자엔 빛그린 광양 매실이 탐스럽게 잘 찍혀 있었다.
상자에는 '꼭 ~ 당일 배송 부탁드립니다.'라는 문구가 더욱 신뢰가 갔다.
포장을 여니 잘 익은 매실이 한가득 담겨 있었다.
너무나 싱싱해 보였다.
그 맛을 한번 경험해 보고 싶었다.
한 입 베어 물었다. 와~~하 도저히 두 번째 입을 갖다 댈 엄두를 내지 못하고 땅에 묻어야만 했다.
그러나 그 맛은 한 번 봐본 셈이다.
예전에 안양 한림대 성심병원에 심방 갔을 때 한 집사님이 라일락 잎을 먹어본 적 있냐고 하면서
한번 맛보라고 조금 잘라 주었다.
워낙 호기심 천국인 사람이기도 하고
그 맛이 기가 막히마고 하면서 건네는 손이 부끄러울 것 같기도 해서 덥석 받아먹었다.
와~하 그 맛 또한 어찌 잊으리오
세상에 이런 씁쓸한 맛이 또 있을까? 다음 끼니는

제시간에 도저히 먹을 수 없을 정도로 씁쓰름한 그 맛이었다.

그 맛이 오버레이 되며 광양의 매실 맛이 나의 뇌에 다시는 먹지 못하는 음식 리스트에 저장되었으리라.

서늘한 곳에 두었다가 주일 오후 한가할 때 매실을 담게 되었다.

먼저 꼭지를 따주어야만 했다.

작년엔 양파 주머니인 빨간 망에 매실을 씻어 낸 것 같은데 올핸 식초로 씻어내고 말끔히 마르도록 물 빠지는 소쿠리에 가득 올려놓았다.

매실과 황설탕을 1:1로 한다고 했다. 마트에서 설탕을 재난기금으로 10kg을 샀다.

둥그런 큰 플라스틱 통에 잘 마른 매실을 조금 붓고 설탕을 넣고 다시 매실을 넣고 하여 가득 채웠다.

이 친구는 목양실 나의 발밑에서 3개월 동안 나의 친구가 되어 심심할 때마다 나의 굴림에 이리저리 순응하며 움직일 것이다.

매실을 정성스럽게 농사하시는 분들의 수고와 싱싱할 때를 알아 주문을 하고 정성 다해 담는 모습을 통해 잘 익은 매실처럼 우리도 주님의 사람으로 잘 쓰임 받을 수 있도록 열매로 익어가고 나무에서 떨어지고 상자에 넣어지고 꼭지가 떼어지고 잘 씻기고 잘 말라지고 설탕과 함께 잘 조화를 이루어지고 잘 굴려지는 것처럼 우리네 삶의 그 어떠한 상황 속에서도 쓰임 받기 위한 그 과정에서 오는 일이라 생각하며 모든 것을 받아들이는 것이 대단히 중요한 것 같다.

오늘 우리의 사역에서 모든 것을 받아들이는 태도의 모습이 대단히 중요한 부분이다.

잘 받아들일 때 사역도 있고

열매도 있는 것이다.

오늘 우리는 매실처럼 그분의 가꾸심으로 잘 익어가고 있는가?

쓰임 받기를 위한 전 과정에 함께 해 주시는 그분의 손길을 경험하는가?

그분의 이끄심과 방향에 전적인 신뢰와 믿음으로 쏟아지고 부어지고 굴려 지고하면서

현역으로 쓰이고 있는 것을 느끼는가?

축하의 글 I   아름다운 삶의 편지

이 책은 주님과 동행하며 인생의 길을 가는 한 목
자의 작은 이야기다.
마음에 소리를 담았고 때로는 작은 실수도 해 가며
오늘도 하루를 묵묵히
인생의 길을 걸어가는 목자의 이야기다.
이 안에 그의 인생의 아름다운 주님과의 동행이 있
고 때때로 들려주시는 주님의 음성을 듣고
그 어떤 것보다 순종하며 기도하며
비가 오나 눈이 오나 태풍이 다가와도
기도와 주 예수 그리스도 그분을 믿으면 오늘 하루
도 영적 전쟁에서
조용히 승리하는 작지만 큰 자의 삶을
표현한 작가의 이야기다.
이 책을 통해 많은 감동을 전해주는
아름다운 삶의 편지라고 말씀드립니다.

대한 바이블신학교
학장 전호식 박사

축하의 글Ⅱ 때를 따라 역사하신 하나님

코로나 19 범유행으로 그동안 당연하게 여겨왔던 일상을 다시 누릴 수 없는 상황이 지속하고 있다. 교회에서는 비대면 예배의 시행으로 모두가 한곳에 모여 예배를 드렸던 시간은 이제 추억이 되었다. 학생들은 집에서 동영상 강의로 학교 수업을 듣고, 직장에서는 재택근무가 일상이 되었다. 다시 이전의 일상을 회복할 수 있을지 의문이다.

언젠가는 도래할 코로나 이후의 삶을 위해 지금 우리는 어떻게 현 상황을 감내하며 극복할 것인지 고민해야 한다.

이 책은 지난날 삶의 현장에서 경험한 일들이 가득한 일기장을 떠올리며 써 내려간 편지로 한 목회자의 진솔한 삶을 담고 있다. 자신의 과거를 솔직하고 담백하게 표현하는 글을 통해 주님과 동행하며 인생의 퍼즐을 맞추어 가는 그의 모습을 짐작할 수 있다. 그의 인생에 전능하신 하나님은 때를 따라 아름답게 역사하신다.

이처럼 한 치 앞을 알 수 없는 현재와 같은 이 시기에 희망을 발견하고, 자신을 내려놓는 성찰의 시간이 되기를 소망한다.

오산벧엘교회 안병호목사

축하의 글Ⅲ　　주와 같이 길 가시니

10여 년 전 8구조원리 영어공부를 통해 인연이 되어 만남이 축복이 시작되었습니다.

월출산 기슭 아래 전남 강진에서 태어나 어려운 가정환경을 탓하지 않고 긍정적 심리로 인생을 개척해 나가는 멋진 목사님!

열등감을 자존감으로 승화시킨 용기 충만한 목사님을 하나님께서 특별히 사랑하셔서 주의 종으로 부르셨습니다.

감사로 사는 목사님!

헌신적으로 내조하는 사모님의 도움이 큰 것을 늘 감사하며 고난을 없게 해달라는 기도가 아닌 고난을 감당할 힘을 달라고 고백하신 목사님의 삶을 본받기를 원합니다.

모든 것을 긍정적인 사고로 고난과 역경을 딛고 일어선 목사님의 정신이 현재를 살아가는 인내심이 약한 젊은이들에게 꿈과 희망을 전하는 귀한 책이 되기를 소망합니다.

문희강 원장(한국인성교육상담진흥원)

편집자의 글   감동에 젖는 시간

어느 날 영어 독서클럽에서 같이 영어 독해공부를 하는 회원을 찾는다는 광고가 도서관 게시판에 붙어 있어 희망 의사를 밝히고 시간을 내서 찾아갔는데, 모이는 장소가 마침 당시 근무하던 사무실과 가까웠다.

강사분이 너무 인상이 좋고 서글서글한 목소리로 반겨주어 공부도 좋았지만, 사람을 만나는 즐거움도 컸다. 옆 사람들의 이야기를 들어보니 교회 목사님이시라고 해서 처음에는 의아하게 생각했다.

고향도 전남 강진이라 제 고향인 장흥 바로 인근이라 친밀감이 생겼다. 퇴직하고 출판사를 차려 안부차 인사드렸더니, 회갑기념으로 블로그의 글을 모아 자녀분들이 책으로 선물했다고 자랑하셔서 그것을 읽어보고 내용이 너무 감동적이라 정식으로 책 출판을 의뢰하였다. 어려운 시기에 태어나 가정형편 때문에 중학교도 마치지 못한 상황에서도 꾸준히 노력하며 성실하게 신앙의 길을 가신 발자취가 걸음마다 눈물 없인 읽을 수 없는데도, 하나님을 의지하며 어떤 형편에서도 좌절하지 않고 인생의 길을 찾아 즐겁게 살아가신 것을 느낄 수 있었다. 모든 독자가 그 감동을 함께 하길 소망한다.

오태영 작가(진달래 출판사 대표)